Deliciosamente saludable

RÁPIDA, FRESCA, FÁCIL DE PREPARAR

Deliciosamente saludable

RÁPIDA, FRESCA, FÁCIL DE PREPARAR

Recetas de Jody Vassallo   Fotografías de Louise Lister

National Heart Foundation of Australia
ABN 98 008 419 761
PO Box 9966 in your capital city
Phone: 1300 30 11 65
Web: www.heartfoundation.com.au

Printed by R&R Publications Marketing Pty Ltd
(ACN 083 612 579) PO Box 254, Carlton North,
Victoria 3054 Australia Toll Free: 1800 063 296

Colour Separations by Color Gallery, Malaysia

©2011, Grupo Editorial Tomo, S.A. de C.V.
Nicolás San Juan 1043, Col. Del Valle, 03100, México, D.F.
Tels. 5575.6615, 5575.8701 y 5575.0186 Fax: 5575.6695
http://www.grupotomo.com.mx
ISBN-13: 978-607-415-261-6
Miembro de la Cámara Nacional de la Industria Editorial
No. 2961

Traducción: Ivonne Saíd Marínez
Diseño de portada: Karla Silva
Formación tipógrafica: Armando Hernández
Supervisor de producción: Silvia Morales

Este libro se publicó conforme al contrato establecido entre
R&R Publications Marketing Pty Ltd y
Grupo Editorial Tomo, S.A. de C.V.

Contenido

La salud del corazón

El nuevo recetario *Deliciosamente saludable* tiene dos objetivos primordiales: disfrutar de una comida sana y conservar la salud del corazón. Nuestro recetario está repleto de recetas deliciosas, saludables y fáciles de preparar, hechas a la medida de los individuos y las familias que saben de la importancia del tiempo en la elaboración de sus alimentos.

Todas las recetas son:

Nutritivas – nuestras recetas cumplen con los criterios de nutrición específicos establecidos por fundaciones especializadas en el cuidado del corazón, e incluyen el total de grasa, de grasa saturada, de sodio (sal) y de fibra. Cada receta cuenta con un análisis de los nutrientes por porción (ver la página 154, donde encontrará la explicación).

Ricas – comer debe ser una experiencia placentera, por lo que nuestras recetas son ampliamente probadas y degustadas para verificar que sean deliciosas y saludables. Nuestras recetas están inspiradas por influencias multiculturales y las recetas tradicionales favoritas.

Fáciles y sencillas – todos apreciamos una buena comida fácil de preparar. Nuestras recetas son sencillas, y los ingredientes están a la mano.

COMER SANO
Ayuda a tu corazón

Existen cuatro principios clave para la prevención de enfermedades cardiacas:

1 Grasas saludables – lograr un equilibrio sano entre las grasas insaturadas (que reducen el riesgo de enfermedades del corazón) y las grasas saturadas (que aumentan el riesgo de enfermedades del corazón).

2 Pescado – diversos estudios han demostrado que la gente que come pescado cuando menos dos veces a la semana es menos propensa a morir de enfermedades cardiacas.

3 Cereales integrales, nueces, semillas, legumbres, frutas y verduras – los alimentos de origen vegetal son bajos en grasas saturadas, y los componentes encontrados en ellos también contribuyen a la salud del corazón:

◆ Se ha demostrado que la fibra de la avena, la cebada, el psilio y las legumbres reduce los niveles de colesterol en la sangre. El colesterol alto aumenta el riesgo de desarrollar cardiopatías.

◆ El ácido fólico de las legumbres, las verduras, los alimentos integrales, la fruta y las nueces disminuye el nivel de un aminoácido en la sangre conocido como homocisteína. Esto puede ser benéfico ya que los altos niveles de homocisteína en la sangre están relacionados con un aumento en el resigo de accidentes cardiovasculares.

◆ Los antioxidantes de las frutas, las verduras y los alimentos integrales juega un papel importante en la prevención de desarrollo de enfermedades del corazón.

◆ Se ha demostrado que los esteroles vegetales (de 2g/día), que se encuentran en los alimentos de origen vegetal, reducen los niveles de colesterol en la sangre.

4 Sodio – restringir el consumo de sodio ayuda a bajar la presión arterial alta.

GRASAS
¿Cuál es la diferencia?

Las grasas que se encuentran en los alimentos son una mezcla de cuatro diferentes: saturadas, poliinsaturadas, monoinsaturadas y trans. El riesgo de una cardiopatía difiere según el tipo de grasa:

1 Las **grasas saturadas** incrementan el riesgo de sufrir una enfermedad del corazón. Se ha demostrado que la dieta

ta en grasa saturada aumenta el total de
olesterol malo y LDL en la sangre.

Las **grasas poliinsaturadas** disminuyen
riesgo de sufrir una enfermedad
rdiaca. Se ha demostrado que reducen
total de colesterol malo y LDL en la
ngre.

Las **grasas poliinsaturadas omega-3**
DHA y EPA) se encuentran en el
scado, de manera predominante.
rece que previenen la arritmia
n estado de latidos irregulares), que
ede provocar muerte súbita o eventos
rdiacos.

El **ácido alfalinoléico** es un tipo
ferente de grasa poliinsaturada omega-3,
ue se encuentra en el aceite de cártamo
de soya, y que se ha demostrado que
duce los niveles de colesterol en la
ngre. El ácido alfalinoléico juega un
apel muy importante en la prevención
e enfermedades cardiacas.

Se ha demostrado que las **grasas
onoinsaturadas** disminuyen el total
e colesterol malo y el LDL, aunque
o en la misma medida que las grasas
liinsaturadas.

Las **grasas trans** se generan
incipalmente cuando los aceites
getales son hidrogenados para
oducir margarina, aceites para freír,
anes y hojaldres. Se ha demostrado
ue elevan el colesterol malo y el LDL y
educen el colesterol bueno HDL en la
ngre. Hoy, en muchos países, la mayoría
e las margarinas se produce sin grasas
ans.

DISFRUTAR UNA COMIDA SALUDABLE
Una guía para controlar el colesterol en la sangre

Usar margarinas en vez de mezclas de
antequilla y productos lácteos.

Usar distintos aceites para cocinar;
gunas buenas opciones son los aceites
e cártamo, de girasol, de soya, de oliva
de cacahuate.

Usar aderezos para ensalada y
ayonesa hechos con aceites como el de
rtamo, de girasol, de soya y de oliva.

Elegir leche y yogur bajos o reducidos
n grasa o bebidas de soya con "más
alcio". Tratar de limitar la ingesta de
eso y helado a dos veces a la semana.

Comer pescado (de cualquier tipo,
esco o enlatado) cuando menos dos
eces a la semana.

◆ Elegir carne magra (carne sin grasa y
pollo sin piel). Tratar de limitar las carnes
grasosas, entre ellas las salchichas y las
delicatessen como el salami.
◆ Comer como refrigerio nueces
naturales, sin sal, y fruta fresca.
◆ Incorporar chícharos secos, frijoles
secos (alubias chicas, por ejemplo), frijoles
enlatados o lentejas, en dos alimentos a la
semana.
◆ Basar los alimentos en verduras y
granos, como cereales para el desayuno,
pan, hojaldre, fideos y arroz.
◆ Tratar de limitar la comida rápida a
una vez por semana. Entre los alimentos
para llevar están pastas de hojaldre, pays,
pizzas, hamburguesas y platillos con pasta
y crema.

◆ Tratar de limitar los refrigerios como
papas fritas a una vez por semana.
◆ Tratar de limitar los pasteles, los
hojaldres y las galletas de chocolate
y cremosas a una vez por semana.
◆ Tratar de limitar los alimentos ricos
en colesterol, como las yemas de huevo
y vísceras, como hígado, riñones y sesos.

Reducir el consumo de sodio
Los adultos sanos necesitan menos de
2 300mg de sodio al día para equilibrar
la cantidad de líquido del cuerpo y
mantener la función muscular y nerviosa.
El exceso de sodio en la dieta está
relacionado con la presión arterial alta. La
principal fuente de exceso de sodio es la
sal, tanto la de mesa como la que se le

de buen sabor. Los aceites de cártamo, girasol, soya, oliva, cacahuate, macadamia, ajonjolí y semilla de uva son los mejores.

agrega a los alimentos procesados. ¡Una sola cucharadita de sal de mesa equivale a 2 000mg de sodio! Las formas más sencillas de reducir el sodio en la dieta son:

◆ Elegir productos alimenticios bajos o reducidos en sal, cuando sea posible.
◆ Sazonar las comidas con hierbas y especias en vez de sal.
◆ Comer menos alimentos con mucha sal, como papas fritas u otras botanas, salchichas comerciales saladas, carnes procesadas y paté de pescado, sopas y caldos en polvo, cubos de caldo, encurtidos, alimentos en conserva y casi toda la comida rápida.

¿Y los alimentos altos en colesterol como los huevos?

El colesterol de los alimentos puede aumentar el colesterol en la sangre, sobre todo en personas que tienen un riesgo elevado de desarrollar enfermedades cardiacas. El colesterol de la comida no sube el colesterol en la sangre en la misma medida que las grasas saturadas y las trans. Se recomienda que la gente con alto riesgo de padecer enfermedades del corazón restrinja el consumo de alimentos ricos en colesterol. Las personas con bajo riesgo de presentar cardiopatías pueden comer cantidades razonables de alimentos ricos en colesterol como yemas de huevo y vísceras.

¿Cuál aceite es el mejor?

Se recomienda usar diferentes aceites para preparar y cocinar rápido alimentos

¿El exceso de grasa es malo para el corazón?

Se ha demostrado que el tipo de grasa, más que la cantidad que se consuma, es un factor principal para determinar el riesgo de sufrir enfermedades cardiacas. La grasa saturada es el tipo de grasa que aumenta el nivel de colesterol en la sangre e incrementa el riesgo de una enfermedad del corazón. Hay que concentrarse en la reducción del consumo de alimentos altos en grasas saturadas, como las carnes grasosas, productos lácteos enteros, mantequilla, aceites de coco y de palma, comida rápida muy frita y productos comerciales horneados, como las galletas y el hojaldre.

¿Tengo que comer menos carne y productos lácteos?

La carne roja magra, sin grasa visible, es baja en grasa saturada. Es una excelente fuente de hierro, zinc y vitamina B12, y juega un papel importante en una alimentación sana. Es fundamental limitar la cantidad de productos lácteos enteros que se consumen, pues constituyen la fuente principal de grasas saturadas. Los lácteos bajos o reducidos en grasa son fuentes importantes de calcio en la dieta. Y el calcio tiene un papel significativo en la prevención del desarrollo de la osteoporosis.

¿El vino es bueno para el corazón?

El alcohol no eleva el colesterol en la sangre, pero sí los triglicéridos, la presión arterial y el peso corporal. Una o dos copas al día no hacen daño, pero el consumo excesivo aumenta el riesgo de padecer presión arterial alta, cardiopatías y derrames cerebrales, así como muchos otros problemas.

Logrando el balance perfecto

Consumir una variedad de alimentos de los diferentes grupos alimenticios es la clave para una alimentación sana. Usa la siguiente lista para valorar tu ingesta actual de alimentos y adoptar un patrón de consumo sano.

Lista de grupos alimenticios	Porciones	Tamaño por porción
Vegetales y legumbres	5 o más porciones al día	$1/2$ taza de verduras cocidas; o 1 taza de ensalada de vegetales; o $1/2$ taza de legumbres cocidas (frijoles, lentejas, garbanzos)
Fruta	2 o más porciones al día	1 fruta mediana (1 manzana) o 2 piezas de fruta chicas (2 kiwis) o 1 taza de fruta en cubos o enlatada; o $1 1/2$ cucharadas de fruta seca; o 4 mitades de chabacanos secos; o $1/2$ taza de jugo de fruta
Pan, cereales, arroz, pasta y fideos	4 o más porciones al día	2 rebanadas de pan; o 1 rollo de pan mediano; o 1 taza de avena cocida; o $1 1/3$ tazas de cereal listo para comer; o $1/2$ taza de granola; o 1 taza de arroz, pasta o fideos cocidos; o $1/3$ taza de harina. De las 4 o más porciones recomendadas al día, consumir cuando menos 1 porción de pan y cereal integrales (pan integral, arroz integral, pasta integral, etcétera).
◆ Productos lácteos bajos o reducidos en grasa o productos de soya enriquecidos con calcio	2-3 porciones al día	1 taza de leche baja o reducida en grasa; o 1 taza de bebida de soya enriquecida con calcio; o 2 rebanadas (40g) de queso bajo o reducido en grasa; o 1 envase chico (200g) de yogur bajo o reducido en grasa; o 1 taza de natilla baja o reducida en grasa
◆ Pescados y mariscos	Cuando menos 2 comidas de pescado a la semana	Entre 100 y 150g de pescado cocido; o 1 taza de mariscos (sin concha)
◆ Carne roja o blanca magra, pollo, huevos, nueces y legumbres	Carne magra o pollo: 3-4 porciones a la semana Legumbres: 1-2 porciones a la semana (frijoles secos, lentejas, garbanzos)	80-120gr de carne o pollo magros $1/2$ taza de legumbres cocidas
	Nueces: 2 porciones a la semana Huevos: 1 por día si tu colesterol es normal. Comer menos yemas si el nivel de colesterol en sangre es alto	$1/3$ taza de nueces 1 huevo de 48-50g
Margarina, aceites, mayonesa y aderezos de ensalada	1-2 porciones al día	1 cucharada

◆ Los vegetarianos deben sustituir los alimentos no animales por alimentos animales según se requiera.

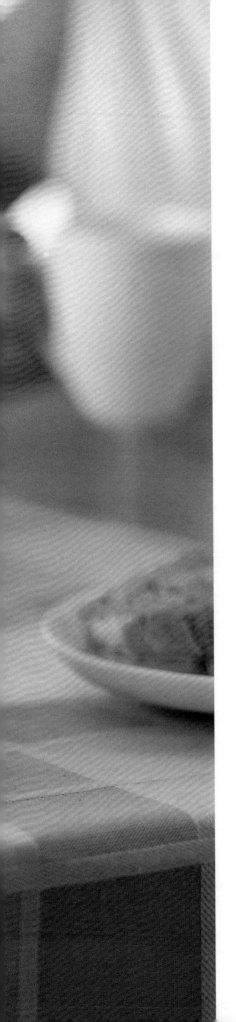

Desayunos, refrigerios y comidas

Elegir alimentos sanos puede resultar
un reto si ya se te hizo tarde para ir a
trabajar o si tienes unos cuantos minutos
para tomar un refrigerio. Así que escoge
una de nuestras ideas rápidas y frescas y
ahórrate la preocupación.

Bircher muesli

Tiempo de preparación: 10 minutos + 1 hora de reposo **Tiempo de cocción** 0

1 manzana, pelada, descorazonada y rayada
1 pera, pelada, descorazonada y rayada
2 tazas de hojuelas de avena
1/2 cucharadita de canela molida
250ml de jugo de pera

150g de yogur de vainilla reducido en grasa
50g de hojuelas de almendra tostada
250ml de lecha reducida en grasa
2 mangos, pelados y picados
1 plátano, rebanado
2 maracuyás

1 Poner la manzana, la pera, las hojuelas de avena, la canela y el jugo de pera en un tazón y revolver bien; dejar reposar tapado en el refrigerador durante 1 hora.
2 Incorporar el yogur y las almendras. Servir el muesli en tazones individuales con la leche, el mango, el plátano y la pulpa de la maracuyá. **Rinde 4 porciones**

(El muesli, es una mezcla de cereales, frutos secos y frutas, parecido a la granola)

NUTRIENTES por porción

Energía	1818kJ
Energía	434cal
Grasa total	12.0g
Grasa saturada	1.6g
Grasa monoinsaturada	6.5g
Grasa poliinsaturada	3.0g
Proteínas	14.0g
Carbohidratos	68.0g
Fibra	10.0g
Sodio	62mg
Colesterol	5.5mg

TIP

Para cuidar al corazón se recomienda consumir una variedad de panes y cereales. Este grupo alimenticio es una fuente importante de carbohidratos y fibra, y aporta una gran variedad de vitaminas y minerales, como el ácido fólico, la tiamina, la riboflavina, la niacina y el hierro. En la actualidad, se les recomienda a los adultos consumir cuando menos 4 porciones de pan, cereales, arroz, pasta o fideos al día.

Muffins de manzana y canela

Tiempo de preparación 15 minutos **Tiempo de cocción** 30 minutos

aceite de cártamo en espray
200g de manzana para pay enlatada
1 cucharadita de canela molida
2 1/2 tazas de harina con polvo para hornear
1 taza de hojuelas de avena
2/3 taza de azúcar morena
375ml de leche baja o reducida en grasa

2 huevos, ligeramente batidos
1 cucharadita de esencia de vainilla
2 cucharadas de aceite de girasol
100g de yogur de vainilla, espeso, reducid en grasa
2 cucharadas extras de azúcar morena
2 cucharadas extras de hojuelas de aven

1 Precalentar el horno a 200°C. Rociar una charola para 12 muffins chicos (125ml) con el espray de cártamo.
2 Poner la manzana para pay en un tazón, revolver con la mitad de la canela y reserva
3 Cernir la harina y el resto de la canela en un recipiente grande, agregar las hojuelas de avena y el azúcar morena. Hacer un hueco en el centro de la mezcla.
4 Incorporar la leche, los huevos, la esencia de vainilla, el aceite y el yogur en un bol y batir con un tenedor.
5 Verter los ingredientes líquidos en el pozo de la harina y revolver, no hacerlo en exceso, la mezcla debe tener grumos. Si se revuelve en exceso, los muffins salen duros.
6 Llenar los moldes de muffins hasta la mitad con la mezcla de la harina, agregar med cucharada de la mezcla de manzana y cubrir con el resto de la mezcla de la harina.
7 Espolvorear con el azúcar morena y las hojuelas de avena. Hornear durante 25-30 minutos, o hasta que los muffins suban y comiencen a despegarse de las orill del molde. Dejar enfriar durante 5 minutos y después desmoldar en una rejilla metálica para que se enfríen completamente. **Rinde 12 porciones**

NUTRIENTES por porción

Energía	963kJ
Energía	230cal
Grasa total	4.8g
Grasa saturada	0.7g
Grasa monoinsaturada	1.0g
Grasa poliinsaturada	2.7g
Proteínas	6.2g
Carbohidratos	41.0g
Fibra	1.6g
Sodio	239mg
Colesterol	31mg

Hot-cakes jumbo con zarzamoras y miel

Tiempo de preparación 25 minutos **Tiempo de cocción** 20 minutos

NUTRIENTES por porción

Energía	2336kJ
Energía	558cal
Grasa total	18.0g
Grasa saturada	3.9g
Grasa monoinsaturada	10.0g
Grasa poliinsaturada	2.6g
Proteínas	16.0g
Carbohidratos	83.0g
Fibra	7.6g
Sodio	621mg
Colesterol	54mg

1 1/2 tazas de harina blanca
1/2 taza de harina integral
1 cucharadita de polvo para hornear
2 cucharadas de azúcar refinada
1 huevo, ligeramente batido
2 claras de huevo
375ml de suero de leche (o jocoque)

200g de zarzamoras
40g de margarina poliinsaturada
   reducida en grasa
aceite de cártamo en espray
50g de macadamias, tostadas (o nueces)
1/4 taza de miel

1 Cernir las harinas y el polvo para hornear en un tazón grande, y agregar el azúcar. Hacer un hueco en el centro, añadir el huevo batido, las yemas y el suero de leche; batir con el tenedor hasta que la mezcla forme una masa homogénea. Tapar y dejar reposar mientras se prepara la mantequilla.

2 Para preparar la mantequilla de zarzamora, poner la mitad de las zarzamoras y la margarina en un tazón y revolver muy bien, con cuidado de no hacer puré las frutas.

3 Rociar ligeramente una sartén de teflón con el espray de cártamo y calentar a fuego medio. Verter 1/4 de taza de la masa en la sartén y distribuir la mezcla ladeándola con cuidado. Cocinar hasta que aparezcan burbujas en la superficie y la parte inferior esté dorada. Voltear y cocinar del otro lado hasta que esté bien cocido. Conservar caliente y cocinar el resto de la masa.

4 Picar las macadamias, poner en un tazón y revolver con la miel.

5 Servir una pila de hotcakes con una generosa porción de miel de zarzamora y una cucharada de la miel de macadamia. Esparcir encima el resto de las zarzamoras.

Rinde 4 porciones

TIP

El suero de leche (o jocoque) es un excelente sustituto de la leche o la crema por su bajo contenido de grasa. Está hecho con leche pasteurizada descremada, tiene un sabor ligeramente ácido y una consistencia espesa, parecida a la del yogur para beber. Los pasteles que se hacen con suero de leche tienen una deliciosa textura húmeda.

INGREDIENTE PRINCIPAL

Las zarzamoras no son verdaderas moras, sino un conjunto de muchas frutas pequeñas. Son una buena fuente de fibra, vitaminas C y E, y pequeñas porciones de otras vitaminas y minerales. Se recomienda comerlas dulces y frescas como refrigerio, o ligeramente endulzadas como postre.

Cuscús de moras con miel de Maple

Tiempo de preparación 5 minutos + 10 minutos para reposar
Tiempo de cocción 5 minutos

1 taza de cuscús
1/2 taza de arándanos secos
500ml de jugo de arándano
  con frambuesa
200g de fresas, en mitades
150g de moras azules
150g de frambuesas

1 cucharada de menta fresca, picada
  (opcional)
200g de yogur de vainilla
  reducido en grasa
2 cucharadas de semillas de girasol
2 cucharadas de pepitas
2 cucharadas de miel de maple

1 Poner el cuscús y los arándanos secos en un tazón. Calentar el jugo de arándano con frambuesa en una olla hasta que suelte el hervor, agregar al cuscús y dejar reposar durante 10 minutos o hasta que se absorba el líquido.
2 Incorporar las fresas, las moras azules, las frambuesas y la menta.
3 Servir el cuscús con una cuchara en tazones individuales y cubrir con una generosa porción de yogur, espolvorear con las semillas y bañar con la miel de maple.
Rinde 4 porciones

Si no se consigue el jugo de arándano con frambuesa, sustituir con jugo de manzana o de pera.

NUTRIENTES por porción

Energía	2528kJ
Energía	604cal
Grasa total	7.0g
Grasa saturada	1.1g
Grasa monoinsaturada	1.4g
Grasa poliinsaturada	3.8g
Proteínas	9.6g
Carbohidratos	98.0g
Fibra	6.6g
Sodio	74mg
Colesterol	5mg

TIP

La avena y el salvado de avena son muy ricos en fibra soluble, pues se ha demostrado que se pega al colesterol de los alimentos y lo elimina del tracto intestinal. Por lo tanto, consumir alimentos altos en fibra soluble, con el tiempo ayuda a reducir los niveles de colesterol en la sangre. Se sugiere la ingesta de muchos alimentos ricos en fibra soluble, como avena, vegetales, legumbres, cereales y fruta fresca o deshidratada.

Avena alta en fibra

Tiempo de preparación 10 minutos **Tiempo de cocción** 10 minutos

2 tazas de hojuelas de avena
2 cucharadas de germen de trigo
2 cucharadas de mezcla de soya y linaza
  molidas
3 cucharadas de semillas de girasol
ralladura de 1 naranja

1/2 cucharadita de mezcla de especias
250ml de leche reducida en grasa
2 cucharadas de azúcar morena
4 plátanos, rebanados
1/4 taza de pistaches pelados, picados

1 Poner en una cacerola la avena, el germen de trigo, la mezcla de soya y linaza, la ralladura de naranja, la mezcla de especias y 4 tazas de agua. Dejar que la avena suelte el hervor, revolviendo de vez en cuando, bajar la flama y dejar que hierva a fuego lento durante 5-10 minutos, o hasta que las hojuelas estén suaves y cremosas.
2 Servir la avena con una cuchara en tazones individuales, verter la leche y espolvorear con el azúcar morena. Cubrir con las rebanadas de plátano y los pistaches.
Rinde 4 porciones

NUTRIENTES por porción

Energía	1699kJ
Energía	406cal
Grasa total	13.0g
Grasa saturada	1.7g
Grasa monoinsaturada	5.0g
Grasa poliinsaturada	5.7g
Proteínas	13.0g
Carbohidratos	59.0g
Fibra	7.9g
Sodio	34mg
Colesterol	2mg

Huevos con jamón en bagels

Tiempo de preparación 20 minutos Tiempo de cocción 5 minutos

100g de tomates cherry
12 hojas de perejil de hoja lisa, frescas
aceite de cártamo en espray
4 huevos
4 claras de huevo

125ml de leche evaporada
  reducida en grasa
pimienta blanca molida, al gusto
2 bagels integrales, en mitades
100g de jamón reducido en grasa,
  en trozos muy finos

1 Partir los tomates cherry a la mitad y colocar en una charola para horno de teflón. Cocinar a la parrilla hasta que estén suaves y la piel se empiece a encoger. Sacar y conservar calientes.
2 Poner las hojas de perejil en otra charola para horno, rociar ligeramente con el aceite y cocinar a la parrilla hasta que estén crujientes.
3 Poner los huevos, las claras y la leche evaporada en un tazón, batir con el tenedor y sazonar con un poco de pimienta blanca.
4 Verter la mezcla de huevo en una sartén de teflón y cocinar a fuego bajo hasta que el huevo empiece a cuajar. Revolver con cuidado hasta que se cueza. No cocer en exceso, porque la textura dejará de ser homogénea.
5 Tostar los bagels y servir en las bases un poco de jamón, los huevos revueltos, los tomates cherry y las hojas de perejil. **Rinde 4 porciones**

NUTRIENTES por porción

Energía	1586kJ
Energía	379cal
Grasa total	8.6g
Grasa saturada	2.6g
Grasa monoinsaturada	3.0g
Grasa poliinsaturada	1.6g
Proteínas	26.0g
Carbohidratos	48.0g
Fibra	6.4g
Sodio	989mg
Colesterol	194mg

TIP

La gente con altos niveles de colesterol en la sangre debe limitar el consumo de alimentos ricos en colesterol. Si tu nivel de colesterol es alto, disminuye tu consumo de yemas de huevo, vísceras (riñones, sesos, hígado) y mariscos. Si tu nivel de colesterol es normal, puedes disfrutar de esos alimentos con más frecuencia.

INGREDIENTE PRINCIPAL

Los tomates son increíblemente versátiles. Pueden comerse frescos, enlatados, concentrados en forma de puré, deshidratados o en salsa de tomate. Pertenecen a la familia de las frutas, y se conocían como "manzanas de amor". Los tomates son ricos en vitamina C y caroteno (que se convierte en vitamina A), y son una buena fuente de fibra.

Pan tostado con fresas y queso ricota

Tiempo de preparación 10 minutos **Tiempo de cocción** 5 minutos

1 barra u 8 rebanadas de pan con fruta
250g de queso ricota reducido en grasa
1-2 cucharadas de azúcar glas
1/2 cucharadita de esencia de vainilla

500gr de fresas, en mitades
3 maracuyás, en mitades
2 cucharadas de miel de maple

1 Tostar las rebanadas de pan con fruta hasta que estén crujientes y doradas. Conservar calientes.
2 Mezclar el queso ricota, el azúcar glas y la esencia de vainilla en un tazón.
3 Poner las fresas, la pulpa de los maracuyás y la miel de maple en otro tazón, y revolver bien hasta que la miel cubra las fresas.
4 Colocar 2 rebanadas de pan en un plato, agregar una generosa porción de la mezcl de queso ricota y un par de cucharadas copeteadas de la mezcla de fresas. **Rinde 4 porciones**

Esta receta también es deliciosa con una mezcla de plátano y maracuyá, o de mango y maracuyá, en lugar de fresas.

NUTRIENTES por porción

Energía	1462kJ
Energía	349cal
Grasa total	8.2g
Grasa saturada	4.3g
Grasa monoinsaturada	2.2g
Grasa poliinsaturada	0.7g
Proteínas	15.0g
Carbohidratos	55.0g
Fibra	6.8g
Sodio	271mg
Colesterol	26mg

TIP

Elige productos lácteos bajos o reducidos en grasa (leche, queso, yogur, helado, natilla) y productos de soya enriquecidos con calcio. Los lácteos bajos o reducidos en grasa y los productos de soya son recomendables para toda la familia, a excepción de los niños menores de 5 años porque necesitan lácteos enteros o productos de soya con calcio para satisfacer sus altos requerimientos de energía.

Yogur con fruta y salvado

Tiempo de preparación 10 minutos **Tiempo de cocción** 0

1 taza de hojuelas de salvado
400g de yogur reducido en grasa
1/4 taza de miel
2 duraznos, deshuesados y rebanados

200g de fresas, en mitades
1 kiwi, rebanado
2 plátanos, rebanados
1/2 taza de pasas

1 Dividir el salvado en partes iguales entre 4 copas para postre o fruta. Cubrir con yogur y bañar con miel.
2 Poner los duraznos, las fresas, el kiwi y el plátano en un tazón y revolver bien.
3 Servir la fruta con una cuchara sobre la miel y agregar una porción generosa de pasas. **Rinde 4 porciones**

NUTRIENTES por porción

Energía	1385kJ
Energía	331cal
Grasa total	2.2g
Grasa saturada	1.1g
Grasa monoinsaturada	0.6g
Grasa poliinsaturada	0.2g
Proteínas	9.3g
Carbohidratos	68.0g
Fibra	6.3g
Sodio	194mg
Colesterol	10mg

Rollo crujiente de plátano

Tiempo de preparación 10 minutos Tiempo de cocción 5 minutos

NUTRIENTES por porción

Energía	2291kJ
Energía	547cal
Grasa total	11.0g
Grasa saturada	3.5g
Grasa monoinsaturada	2.3g
Grasa poliinsaturada	3.8g
Proteínas	20.0g
Carbohidratos	93.0g
Fibra	12.0g
Sodio	1004mg
Colesterol	21mg

4 piezas de pan árabe integral
200g de queso ricota reducido en grasa
2 cucharadas de aceite de girasol
2 cucharadas de pasas
1 galleta de trigo, machacada

1 cucharadita de canela molida
2 cucharadas de azúcar refinada
4 plátanos, en mitades y rebanados
   a lo largo

1 Extender el pan árabe en una superficie limpia.
2 Poner el queso ricota, las semillas de girasol, las pasas y la galleta en un tazón, y revolver bien.
3 Dividir la mezcla de queso ricota entre las piezas de pan árabe y untar tiras gruesa de la mezcla en el centro de cada una.
4 Espolvorear con la mezcla de azúcar y canela, y poner el plátano encima. Enrollar, colocar en una sandwichera acanalada y tostar hasta que estén crujientes y bien calientes. **Rinde 4 porciones**

Rollo de aguacate, espinacas, huevo y jitomat

Tiempo de preparación 10 minutos **Tiempo de cocción** 10 minutos

NUTRIENTES por porción

Energía	1360kJ
Energía	325cal
Grasa total	21.0g
Grasa saturada	5.7g
Grasa monoinsaturada	11.0g
Grasa poliinsaturada	2.6g
Proteínas	13.0g
Carbohidratos	21.0g
Fibra	5.7g
Sodio	349mg
Colesterol	185mg

aceite de cártamo en espray
4 huevos
4 piezas de pan árabe integral
2 cucharadas de queso crema
   reducido en grasa

50g de hojas de espinaca baby, lavadas
1 aguacate grande, rebanado
2 jitomates frescos, rebanados
pimienta negra al gusto

1 Rociar ligeramente una sartén de teflón con el aceite en espray. Calentar la sartén, agregar los huevos y freír hasta que se cuezan al gusto; considerar que se cocerán más en la sandwichera.
2 Mientras los huevos se cocinan, colocar el pan árabe en una superficie limpia. Divid el queso crema entre las cuatro piezas y untar en el centro de cada una.
3 Poner encima las espinacas, el aguacate, el jitomate y el huevo, y sazonar con pimienta.
4 Enrollar, colocar en una sandwichera acanalada y tostar hasta que estén crujientes y bien calientes. **Rinde 4 porciones**

TIP

Estos dos rollos son deliciosos servidos en frío. Si no tienes plancha para sándwiches, cocínalos en una sartén de teflón grande y aplástalos con un plato.

INGREDIENTE PRINCIPAL

El PAN ÁRABE es un pan plano, delgado, de textura chiclosa. Si el pan árabe se secó, humedécelo con agua ligeramente tibia, envuélvelo en una toalla de cocina limpia y deja que se suavice.

Mini rollos thai de cerdo

Tiempo de preparación 15 minutos	Tiempo de cocción 20 minutos

500g de carne de cerdo magra molida
1 cucharadita de comino molido
1 cucharadita de cilantro molido
2 cucharadas de salsa de chile dulce
2 cucharadas de cilantro fresco picado

1 taza pan molido fresco
4 hojas de pasta de hojaldre
   partidas a la mitad a lo largo
2 cucharadas de leche baja
   o reducida en grasa

1 Precalentar el horno a 200°C.
2 Incorporar la carne de cerdo, el comino, el cilantro molido, la salsa de chile dulce, el cilantro fresco y el pan molido en un tazón y revolver bien.
3 Colocar una cuarta parte de la mezcla en un extremo de una de las hojas de hojaldre y enrollar para ocultar el relleno. Repetir con el resto del relleno y las hoj de hojaldre. Cortar cada rollo en seis pedazos del tamaño de un bocado y acomodarlos con la unión hacia abajo en dos charolas para horno forradas con pap antiadherente.
4 Barnizar ligeramente los rollos con leche y hornear durante 20 minutos, o hasta que el hojaldre esté dorado y crujiente, y el relleno se haya cocido bien.
5 Servir caliente con salsa de tomate o chile dulce. **Rinde 24 porciones**

NUTRIENTES por porción

Energía	558kJ
Energía	141cal
Grasa total	6.8g
Grasa saturada	3.5g
Grasa monoinsaturada	2.4g
Grasa poliinsaturada	0.5g
Proteínas	6.9g
Carbohidratos	13.0g
Fibra	0.6g
Sodio	185mg
Colesterol	17mg

INGREDIENTE PRINCIPAL
La PASTA DE HOJALDRE DE CÁRTAMO se prepara con aceite de cártamo en lugar de mantequilla. Es alta en grasas monoinsaturadas mientras que el hojaldre normal (hecho con mantequilla) es alto en grasas saturadas. Ambas contienen casi la misma cantidad de grasas totales, pero la de cártamo es más benigna con el corazón.

Pan con fruta y especias

Tiempo de preparación 30 minutos	Tiempo de cocción 1 hora

200g de chabacanos secos, en trozos
   grandes
200g de higos secos, en trozos grandes
200g de dátiles secos, sin hueso, en trozos
   grandes
1 cucharadita de bicarbonato de sodio

2 tazas de harina con polvo para hornea cernidas
1 cucharadita de jengibre molido
1 cucharadita de canela molida
1/2 taza de azúcar refinada
2 huevos, ligeramente batidos
2 cucharadas de aceite de girasol

1 Precalentar el horno a 180°C. Engrasar y forrar un molde para panqué de 24 x 12c con papel encerado.
2 Colocar los chabacanos, los higos y los dátiles en una cacerola mediana, agregar 2 tazas de agua y dejar que suelte el hervor. Bajar la flama y cocinar a fuego lento hasta que se absorba casi todo el líquido. Incorporar el bicarbonato de sodio y dejar enfriar ligeramente.
3 Cernir la harina y las especias en un tazón grande, añadir el azúcar y hacer un pozo en el centro.
4 Agregar los huevos batidos, el aceite y la mezcla fría de frutas. Revolver, servir con una cuchara la mezcla en el molde preparado y hornear durante 50 minutos, o hast que al clavar un palillo en el centro, éste salga limpio.
5 Dejar enfriar durante 5 minutos antes de desmoldar sobre una rejilla metálica para que se enfríe por completo. **Rinde 12 rebanadas**

NUTRIENTES por porción

Energía	955kJ
Energía	227cal
Grasa total	5.9g
Grasa saturada	1.0g
Grasa monoinsaturada	0.5g
Grasa poliinsaturada	4.1g
Proteínas	5.0g
Carbohidratos	55.0g
Fibra	6.4g
Sodio	188mg
Colesterol	30mg

NUTRIENTES por porción

Energía	1297kJ
Energía	310cal
Grasa total	29.0g
Grasa saturada	3.8g
Grasa monoinsaturada	19.0g
Grasa poliinsaturada	4.8g
Proteínas	8.8g
Carbohidratos	4.5g
Fibra	3.6g
Sodio	29mg
Colesterol	0mg

TIP

Todas las nueces, a excepción del coco, rebosan de grasas poliinsaturadas y monoinsaturadas. Comer un puño pequeño de nueces varias veces por semana es un hábito sano para el corazón. No obstante, si la intención es bajar de peso, hay que limitar el consumo porque tienen muchas calorías/kilojoules.

NUTRIENTES por porción

Energía	555kJ
Energía	133cal
Grasa total	8.0g
Grasa saturada	3.3g
Grasa monoinsaturada	3.6g
Grasa poliinsaturada	0.6g
Proteínas	10.0g
Carbohidratos	5.1g
Fibra	0.7g
Sodio	406mg
Colesterol	68mg

TIP

La pasta filo es muy delgada, está hecha sólo con agua y harina. A diferencia de la mayoría de los otros tipos de pasta, no contiene grasas.

Nueces tostadas con chile y salsa de soya

Tiempo de preparación 5 minutos **Tiempo de cocción**: 15 minutos

100g de almendras naturales
100g de macadamias
100g de nueces de la India sin sal
100g de cacahuates naturales sin sal
1 cucharadita de polvo de cinco especias
1/4 de cucharadita de chile en polvo
3 cucharadas de salsa de soya reducida en sal
1 cucharadita de aceite de ajonjolí

1 Precalentar el horno a 180°C.
2 Colocar las almendras, las macadamias, las nueces de la India y los cacahuates en u tazón y revolver.
3 Verter la salsa de soya revuelta con el aceite de ajonjolí y mezclar hasta cubrir bie las nueces.
4 Vaciar las nueces en una charola para hornear de teflón y hornear durante 15 minutos, o hasta que las nueces empiecen a secarse y la cubierta de soya se oscurezca. Dejar enfriar. **Rinde 2 tazas, 8 porciones**

Las nueces pueden almacenarse en un recipiente hermético hasta por un mes.

Tartaletas de pasta filo con jamón y champiñones

Tiempo de preparación 30 minutos **Tiempo de cocción** 30 minutos

aceite de cártamo en espray
1 cucharada de aceite de oliva ligero
100g de champiñones, rebanados
6 cebollas de cambray, finamente rebanadas
1 diente de ajo, machacado
50g de queso cheddar reducido en grasa, rallado
200g de queso ricota reducido en grasa
2 huevos
1/2 cucharadita de nuez moscada
pimienta negra al gusto
125g (6 rebanadas) de jamón reducido en grasa
4 hojas de pasta filo

1 Precalentar el horno a 180°C. Rociar 8 moldes grandes (250ml) para muffins con e espray de cártamo.
2 Calentar aceite en una sartén y cocinar los champiñones, las cebollas de cambray y el ajo a fuego alto durante 3 minutos, o hasta que se doren los champiñones. Deja enfriar ligeramente.
3 Poner los champiñones en un tazón, agregar el queso cheddar, el ricota, los huevos la nuez moscada, y sazonar con pimienta negra. Cortar el jamón en tiras delgadas e incorporar a la mezcla.
4 Colocar las hojas de pasta filo una encima de la otra, partir a la mitad a lo largo y después cortar cada tira en cuatro piezas iguales. Rociar las cuatro piezas con el aceite de cártamo y colocar en los moldes; repetir el procedimiento con las tres piezas restantes.
5 Con una cuchara, servir el relleno en los moldes. Hornear durante 20-25 minutos, hasta que se doren ligeramente. Dejar reposar durante unos minutos antes de desmoldar con cuidado y servir acompañadas de ensalada verde fresca. **Rinde 8 porciones**

Croquetas de risotto y semillas tostadas

Tiempo de preparación 30 minutos + tiempo para enfriar y refrigerar
Tiempo de cocción 50 minutos

NUTRIENTES por porción

Energía	787kJ
Energía	188cal
Grasa total	9.4g
Grasa saturada	1.9g
Grasa monoinsaturada	3.1g
Grasa poliinsaturada	3.9g
Proteínas	6.9g
Carbohidratos	19.0g
Fibra	2.0g
Sodio	346mg
Colesterol	5.98mg

TIP

Las etiquetas de los alimentos, que dicen "sin colesterol" no significan lo mismo que "sin grasa". Muchos alimentos "sin colesterol" contienen altos niveles de grasas saturadas y grasas trans. Si tu colesterol en sangre es alto, procura elegir alimentos bajos en grasas saturadas y grasas trans.

1 l de caldo de pollo o de verduras bajo en sal
2 cucharaditas de aceite de oliva
3 cebollas de cambray, finamente rebanadas
2 dientes de ajo, machacados
275g de arroz Arborio

35g de queso parmesano, rallado
50g de queso mozzarella reducido en grasa, rallado
150g de mezcla de semillas para ensalada (girasol y ajonjolí)
aceite de oliva en espray

1 Colocar el caldo en una cacerola, dejar que suelte el hervor y mantener a fuego lento. Calentar el aceite en una sartén, agregar la cebolla de cambray y cocinar a fuego medio hasta que se dore. Añadir el ajo y el arroz, y cocinar durante 1-2 minutos más, sin permitir que el arroz adquiera color.

2 Agregar el caldo al arroz, ½ taza a la vez, revolviendo constantemente hasta que se absorba todo el líquido; repetir hasta que el caldo se acabe y el arroz esté cocido, pero no batido. Incorporar los quesos. Pasar el risotto a un tazón y dejar enfriar completamente.

3 Con las manos húmedas, hacer 12 pelotas con las mezcla de risotto. Colocar las semillas en el procesador de alimentos y procesar hasta que la mezcla tenga consistencia de migajas gruesas de pan.

4 Poner las semillas en un plato y revolcar las croquetas en las semillas para cubrir completamente. Colocar las croquetas en una charola para hornear forrada con papel encerado y refrigerar durante 10 minutos.

5 Precalentar el horno a 190°C. Rociar ligeramente cada croqueta con un poco de aceite de oliva, poner en una charola para horno de teflón y hornear durante 15-20 minutos, hasta que el exterior esté crujiente y dorado.

6 Servir acompañadas con rodajas de limón y hojas verdes para ensalada.
Rinde 12 porciones

Pueden hacerse croquetas más pequeñas y servirse como bocadillos de coctel.

INGREDIENTE PRINCIPAL
El ARROZ ARBORIO se usa para preparar risotto. El arroz se fríe primero en aceite y después se añade líquido hirviendo (caldo, por lo general) muy poco a poco. El arroz comienza a inflarse y genera una maravillosa textura cremosa. Incluso después de cocerse, el arroz Arborio siempre debe conservar una ligera "firmeza" en el centro, lo que se llama "al dente".

Brochetas de fruta helada

Tiempo de preparación 20 minutos Tiempo de cocción 0

1kg de melón

200g de fresas

3 mangos grandes

3 kiwis

1 Quitar la cáscara y las semillas al melón, partir en rebanadas de 1.5cm de grosor, y cortar la pulpa con un cortador en forma de estrella. Partir las fresas a la mitad.

2 Cortar los costados de los mangos, pelar y partir cada mitad en rebanadas delgada

3 Pelar el kiwi y partir en rebanadas gruesas de 1.5cm.

4 Ensartar la fruta en brochetas y colocarlas en una charola para horno de teflón, forrada con papel encerado. Tapar con plástico adherente y congelar hasta que la fruta esté sólida. **Rinde 8 porciones**

NUTRIENTES por porción

Energía	333kJ
Energía	79cal
Grasa total	0.5g
Grasa saturada	0g
Grasa monoinsaturada	0g
Grasa poliinsaturada	0g
Proteínas	1.8g
Carbohidratos	17.0g
Fibra	3.0g
Sodio	6.32mg
Colesterol	0mg

TIP

Comer dos de estas deliciosas brochetas de fruta es una manera excelente de incluir las dos porciones recomendadas de fruta al día.

Hummus con verduras crujientes

Tiempo de preparación 30 minutos Tiempo de cocción 5 minutos

Hummus

400g de garbanzos

3 cucharadas de jugo de limón

2 dientes de ajo, machacados

3 cucharadas de tahini

1/4 cucharadita de comino

Verduras y pan árabe

100g de elotitos baby

1 zanahoria en bastones

1 pimiento rojo, en tiras gruesas

1 pieza de pan árabe integral

aceite de oliva en espray

1 diente de ajo, machacado

1 cucharada de semillas de ajonjolí

20 hojas de espinacas baby, lavadas

1 Enjuagar los garbanzos y escurrir bien. Colocar los garbanzos, el jugo de limón, 2 cucharadas de agua, el ajo, la tahini y el comino en el procesador de alimentos y procesar hasta que la mezcla esté homogénea. Pasar a un platón y preparar las verduras.

2 Cocer al vapor los elotitos hasta que estén tiernos, enjuagar con agua fría y escurr bien. Cortar a la mitad a lo largo.

3 Partir el pan árabe en triángulos grandes y rociar con el aceite de oliva. Untar el a y espolvorear con semillas de ajonjolí. Asar a la parrilla hasta que estén crujientes bien dorados.

4 Acomodar las verduras y el pan árabe alrededor del tazón con hummus en un platón grande.

El hummus rinde 2 tazas, y el resto rinde 6 porciones

NUTRIENTES por porción

Energía	1240kJ
Energía	296cal
Grasa total	9.4g
Grasa saturada	1.2g
Grasa monoinsaturada	2.5g
Grasa poliinsaturada	4.3g
Proteínas	16.0g
Carbohidratos	37.0g
Fibra	12.0g
Sodio	102mg
Colesterol	0mg

TIP

La tahini es una salsa hecha con semillas de ajonjolí molidas. Es fuente de grasas poliinsaturadas y monoinsaturadas, y es ideal para untar en los sándwiches o para ensaladas y verduras frescas.

Atún Niçoise

Tiempo de preparación 20 minutos Tiempo de cocción 20 minutos

6 papas de cambray
1 pimiento rojo, picado
2 jitomates medianos, pelados y en cuartos
1 pepino, a la mitad y en rebanadas
400g de alcachofas enlatadas, escurridas y en cuartos
100g de aceitunas Kalamata

2 huevos duros, en cuartos
1/4 taza de hojas frescas de albahaca
2 latas de 200g de atún, con limón y pimienta
125ml de aderezo italiano para ensalada
1 cucharada de vinagre de vino tinto
2 dientes de ajo, machacados

1 Cocer las papas en una cacerola con agua hirviendo hasta que estén suaves; dejar enfriar y cortar en cuartos.

2 Colocar las papas, el pimiento, los jitomates, el pepino, las alcachofas, las aceitunas, los huevos y las hojas de albahaca en un tazón grande, y revolver bien.

3 Servir la ensalada en platos individuales. Escurrir el atún y trocear en piezas grandes comestibles. Agregar los pedazos de atún a la ensalada. Revolver el aderezo, el vinagre y el ajo, y bañar la ensalada. **Rinde 4-6 porciones**

NUTRIENTES por porción

Energía	766kJ
Energía	183cal
Grasa total	4.5g
Grasa saturada	1.3g
Grasa monoinsaturada	1.5g
Grasa poliinsaturada	0.8g
Proteínas	23.0g
Carbohidratos	12.0g
Fibra	5.0g
Sodio	574mg
Colesterol	104mg

TIP
Por lo general, los filetes de pechuga de pollo sin piel son el corte más magro del pollo, ya que contienen aproximadamente 2.5g de grasa por cada 100g de peso en comparación con las piernas o los muslos sin piel, que contienen aproximadamente 5.5g de grasa por cada 100g de peso.

NUTRIENTES por porción

Energía	1917kJ
Energía	458cal
Grasa total	15.0g
Grasa saturada	2.1g
Grasa monoinsaturada	5.5g
Grasa poliinsaturada	3.8g
Proteínas	37.0g
Carbohidratos	45.0g
Fibra	4.6g
Sodio	632mg
Colesterol	51mg

Fideos hokkien con pollo al limoncillo

Tiempo de preparación 15 minutos Tiempo de cocción 15 minutos

2 pechugas (400g) de pollo en filetes
1 tallo de limoncillo, a la mitad y machacado
400g de fideos hokkien
2 cebollas de cambray, finamente rebanadas
1 pimiento rojo, finamente rebanado
1 zanahoria, finamente rebanada
100g de chícharos chinos
50g de cacahuates, tostados

2 cucharadas de semillas de ajonjolí, tostadas
2 cucharadas de hojas frescas de albahaca o de menta

Aderezo
2 cucharadas de salsa de chile dulce
1 cucharada de kecap Manis (salsa de soya dulce)
2 cucharadas de jugo de limón
1 cucharadita de aceite de cacahuate

1 Colocar los filetes de pechuga de pollo en una sartén grande con el limoncillo, cubrir con agua y dejar que hiervan a fuego lento. Cocinar durante 10-15 minutos hasta que el pollo esté tierno. Dejar reposar durante 5 minutos, sacar del agua y cortar en rebanadas delgadas. Picar finamente el limoncillo y reservar para usar en el aderezo.

2 Separar con cuidado los fideos y colocar en un tazón grande. Cubrir con agua hirviendo y dejar reposar durante 2 minutos, y escurrir bien.

3 Poner los fideos, el pollo, las cebollas de cambray, el pimiento, la zanahoria, los chícharos chinos, los cacahuates, las semillas de ajonjolí y las hojas de albahaca en un tazón grande, revolver.

4 Para preparar el aderezo: Colocar el limoncillo picado, la salsa de chile dulce, la salsa de soya dulce, el jugo de limón y el aceite de cacahuate en un tazón, y mezclar hasta incorporar.

5 Bañar el resto de los ingredientes con el aderezo y revolver con cuidado. **Rinde 4 porciones**

NUTRIENTES por porción

Energía	1374kJ
Energía	328cal
Grasa total	6.1g
Grasa saturada	1.5g
Grasa monoinsaturada	1.7g
Grasa poliinsaturada	2.2g
Proteínas	21.0g
Carbohidratos	47.0g
Fibra	9.0g
Sodio	799mg
Colesterol	28mg

NUTRIENTES por porción

Energía	1539kJ
Energía	368cal
Grasa total	16g
Grasa saturada	2.5g
Grasa monoinsaturada	4g
Grasa poliinsaturada	8.4g
Proteínas	29.7g
Carbohidratos	26g
Fibra	4.8g
Sodio	824mg
Colesterol	38mg

NUTRIENTES por porción

Energía	2286kJ
Energía	546cal
Grasa total	18.0g
Grasa saturada	3.7g
Grasa monoinsaturada	9.3g
Grasa poliinsaturada	3.1g
Proteínas	27.0g
Carbohidratos	70.0g
Fibra	6.0g
Sodio	1050mg
Colesterol	31mg

Roast Beef y salsa de rábano picante en pan de centeno

Tiempo de preparación 10 minutos Tiempo de cocción 0

8 rebanadas gruesas de pan de centeno
2 cucharadas de salsa de rábano picante
2 cucharadas de mayonesa baja en grasa
2 cucharadas de chutney de tomate
  picante (conserva agridulce)

200g de roast beef en rebanadas
  muy delgadas, poco cocido
4 hojas de lechuga baby
2 jitomates maduros, en rebanadas grue
pimienta negra al gusto

1 Colocar el pan en una superficie plana. Revolver la salsa de rábano picado con la mayonesa y el chutney de tomate. Untar un poco de la mezcla en las rebanas de p:
2 Poner encima el roast beef, la lechuga y las rebanadas de jitomates. Terminar con u pizca de la mezcla de salsa de rábano picante. Sazonar con un poco de pimienta negra.
3 Tapar con el resto de las rebanadas de pan de centeno y servir partido a la mitad acompañado de ensalada tibia de papa. **Rinde 4 porciones**

Baguettes con atún al limón y frijoles de Lim

Tiempo de preparación 10 minutos Tiempo de cocción 0

4 baguettes integrales chicas
1 lata de 185g de atún
  con limón y pimienta
1 cucharada de mayonesa baja en grasa

1 cucharada de cebollín fresco, picado
300g de frijoles de Lima o habas,
  enlatados
8 hojas de lechuga

1 Cortar un hueco largo y profundo en cada baguette.
2 Escurrir el atún, reservar 2 cucharadas del líquido. Agregar la mayonesa y el ceboll picado al líquido, y mezclar. Colocar el atún y los frijoles en un tazón y revolver m bien.
3 Trozar las hojas de lechuga en pedazos comestibles y meter en las baguettes. Con una cuchara, servir la mezcla de atún y bañar con la mayonesa de limón y pimient: **Rinde 4 porciones**

Pollo picante con frijoles en pan árabe

Tiempo de preparación 10 minutos Tiempo de cocción 0

1 aguacate grande, picado
2 cucharaditas de jugo de limón
1/4 taza de hojas de cilantro frescas
2 tazas (245g) de pollo barbecue sin piel

1/2 taza de salsa de tomate embotellada
4 tortillas árabes integrales
1/4 taza de frijoles refritos
pimienta negra al gusto

1 Colocar el aguacate en un tazón, bañar con el jugo de limón y agregar el cilantro. Desmenuzar el pollo, sólo la carne blanca, y revolver con la salsa.
2 Poner el pan árabe en una superficie plana, dividir los frijoles refritos entre las tortillas y untar de manera uniforme en el centro de cada una.
3 Servir encima el pollo desmenuzado y el aguacate picado, sazonar con la pimienta negra y enrollar con firmeza. Servir los rollos cortados a la mitad. **Rinde 4 porciones**

Roast beef (enfrente, derecha), Atún con limón (enfrente, izquierda) y Pollo picante (a

Hamburguesas de soya con curry madrás

| Tiempo de preparación 30 minutos + tiempo para refrigerar |
| Tiempo de cocción 30 minutos |

2 cucharadas de aceite de soya
1 cebolla chica, finamente picada
2 tallos de apio, finamente picados
1 zanahoria, finamente picada
1 cucharada de curry madrás en polvo
2 latas de 420g de soya
1 1/2 tazas de pan molido integral
2 cucharadas de cilantro fresco picado
1 huevo, ligeramente batido

150g de tomates cherry, en cuartos
3 cebollas de cambray, finamente
    rebanadas en diagonal
pimienta negra al gusto
6 bollos para hamburguesas o rollos
    turcos
6 cucharadas de hummus
    (paté de garbanzos)
6 hojas de lechuga, lavadas

1 Calentar 1 cucharada de aceite en una sartén grande de teflón, agregar la cebolla, apio y la zanahoria; cocinar a fuego lento durante 5 minutos o hasta que se suavic las verduras. Agregar el curry en polvo y cocinar durante 2 minutos más, o hasta suelte el aroma. Añadir 1 cucharada de agua a la sartén si el curry empieza a pega

2 Escurrir la soya y enjuagar bien. Colocar en el procesador de alimentos con la mezcla de verduras, el pan molido y 1 cucharada de cilantro.

3 Procesar hasta que se integre la mezcla, agregar el huevo y procesar unos cuantos segundos más. Hacer seis hamburguesas con la mezcla y colocar en una charola p horno forrada con papel encerado. Tapar y refrigerar durante 30 minutos. Precalentar el horno a 180°C.

4 Colocar los tomates cherry en un tazón, agregar las cebollas de cambray y el rest del cilantro, revolver muy bien. Sazonar con pimienta negra.

5 Calentar una sartén de teflón, añadir el resto del aceite y cocinar las hamburgues de soya por tandas, hasta que estén crujientes y doradas por ambos lados. Pasarla al horno durante 10 minutos para que terminen de cocerse.

6 Tostar los bollos y untarlos con el hummus; acomodar la lechuga, poner encima la carne, la mezcla de tomate y el otro bollo. **Rinde 6 porciones**

NUTRIENTES por porción

Energía	1386kJ
Energía	331cal
Grasa total	17.0g
Grasa saturada	2.7g
Grasa monoinsaturada	3.7g
Grasa poliinsaturada	9.4g
Proteínas	18.0g
Carbohidratos	26.0g
Fibra	11.0g
Sodio	770mg
Colesterol	30mg

TIP

Los productos de soya, como la soya, el aceite de soya, las bebidas de soya y la harina de soya, reducen los niveles de colesterol en la sangre, sobre todo cuando sustituyen a alimentos con alto contenido de grasa saturada.

Ensalada de aguacate y frijol en canastas de lechuga

| Tiempo de preparación 20 minutos Tiempo de cocción 0 |

130g de granos de elote enlatados
300g de frijoles rojos enlatados,
    enjuagados y escurridos
1 cebolla morada chica, finamente picada
1 pimiento verde, picado
1 jitomate maduro, picado
1 aguacate grande, picado

2 cucharadas de salsa de tomate
    embotellada
2 cucharadas de cilantro fresco, picado
8 hojas grandes de lechuga romana,
    lavadas
2 cucharadas de yogur natural
    reducido en grasa
100g de totopos de maíz

1 Poner en un tazón los granos de elote, los frijoles, la cebolla morada, el pimiento, los jitomates, el aguacate, y revolver.

2 Incorporar la salsa de tomate y el cilantro. Con una cuchara, servir la ensalada en las hojas de lechuga.

3 Agregar un poco de yogur en cada canasta de lechuga y espolvorear con trozos d totopos. **Rinde 4 porciones**

Esta ensalada también es un delicioso relleno para burritos, rollos o tacos.

NUTRIENTES por porción

Energía	1543kJ
Energía	369cal
Grasa total	21.0g
Grasa saturada	5.7g
Grasa monoinsaturada	11.0g
Grasa poliinsaturada	3.1g
Proteínas	11.0g
Carbohidratos	33.0g
Fibra	11.0g
Sodio	503mg
Colesterol	0.5mg

TIP

Baña el aguacate con un poco de jugo de limón o vinagre para evitar que se ponga negro.

Pasta al horno con pavo y arándanos rojos

Tiempo de preparación 20 minutos **Tiempo de cocción** 30 minutos

aceite de cártamo en espray
200g de farfalle (mariposa o moño)
100g de hojas de espinaca baby, lavadas
200g de pechuga de pavo ligera, en trozos
6 huevos, ligeramente batidos

125ml de leche baja o reducida en gras
1/3 taza de queso cheddar
  reducido en grasa, rallado
2 cucharadas de salsa de arándano

1 Precalentar el horno a 180°C. Rociar un molde para seis muffins grandes (250ml) con el aceite de cártamo y forrar las bases con papel encerado.
2 Cocer rápido el farfalle en una cacerola grande con agua hirviendo, hasta que esté suave; escurrir bien. Forrar las bases y los costados de los moldes de muffins con farfalle. Cocer al vapor las espinacas hasta que se marchiten, escurrir bien y exprir el exceso de humedad.
4 Rellenar el centro de cada molde de muffin con la pechuga de pavo y las espinacas Cubrir con una cucharada de salsa de arándano. Hornear durante 20 minutos o hasta que se cueza. Desmoldar y servir con una ensalada verde. **Rinde 6 porcion**

NUTRIENTES por porción

Energía	1035kJ
Energía	247cal
Grasa total	7.6g
Grasa saturada	2.6g
Grasa monoinsaturada	2.7g
Grasa poliinsaturada	1.0g
Proteínas	20.0g
Carbohidratos	25.0g
Fibra	2.1g
Sodio	195mg
Colesterol	199mg

TIP

Para que la etiqueta de un queso diga "reducido en grasa", no debe contener más del 75% del total del contenido de grasa de la variedad entera. El queso cheddar regular tiene aproximadamente 34g de grasa por cada 100g de peso, entonces el queso cheddar reducido en grasa debe contener cuando menos 25% (un máximo de 25g de grasa por cada 100g de queso). El queso reducido en grasa tiene una cantidad suficiente de grasas totales y grasas saturadas, así que úsalo en porciones pequeñas.

INGREDIENTE PRINCIPAL

FARFALLE significa mariposa en italiano, y se refiere a la delicada forma de esta pasta seca. A veces, también se le llama pasta de moño o corbata. El farfalle es rico en carbohidratos, contiene un poco de proteínas y fibra, así como vitaminas y minerales en pequeñas cantidades.

Mini pasteles de carne de res y piñones

Tiempo de preparación 15 minutos Tiempo de cocción 30 minutos

aceite de cártamo en espray
480g de carne de res magra
1 cebolla chica, finamente rallada
1 zanahoria, finamente rallada
2 cucharadas de piñones, tostados

1 cucharadita de mezcla de hierbas seca
1 huevo, ligeramente batido
1 taza de pan molido, fresco
2 cucharadas de salsa de tomate
   baja en sal

1 Precalentar el horno a 180°C. Rociar 4 moldes grandes (250ml) para muffins con el aceite de cártamo.

2 Colocar la carne molida, la cebolla, la zanahoria, los piñones, las hierbas, el huevo y el pan molido en un tazón, y revolver bien.

3 Dividir la mezcla entre los 4 moldes para muffins engrasados y oprimir con firmeza. Untar en la parte superior la salsa de tomate y hornear durante 30 minutos, o hasta que estén bien cocidos. Los pasteles de carne comenzarán a despegarse de las orillas del molde cuando estén cocidos.

4 Servir calientes o fríos con pan integral y ensalada. **Rinde 4 porciones**

NUTRIENTES por porción

Energía	1312kJ
Energía	313cal
Grasa total	12.0g
Grasa saturada	2.8g
Grasa monoinsaturada	4.2g
Grasa poliinsaturada	3.8g
Proteínas	32.0g
Carbohidratos	20.0g
Fibra	2.3g
Sodio	368mg
Colesterol	117mg

INGREDIENTE PRINCIPAL

Los LIMONES y demás cítricos son ricos en vitamina C y contienen flavonoides, que funcionan como antioxidantes en el cuerpo. Las limas y los limones le dan un sabor estupendo a los platillos, y son una maravillosa alternativa para las salsas saladas.

Hamburguesas de salmón y crema de elote

Tiempo de preparación 20 minutos + tiempo para refrigerar
Tiempo de cocción 25 minutos

400g de papas (3 aproximadamente), peladas y picadas
100g de arroz vermicelli, seco (fideos de arroz)
420g de salmón rojo, enlatado, sin sal, escurrido
2 claras de huevo, ligeramente batidas

130g de crema de elote
4 cebollas de cambray, rebanadas
1 pimiento rojo, finamente picado
2 tazas de pan molido fresco
2 cucharadas de eneldo fresco, picado
1-2 cucharadas de jugo de limón
aceite de oliva en espray

1 Cocer las papas en una cacerola grande con agua hasta que se suavicen. Escurrir, regresar a la cacerola y cocer a fuego lento hasta que se sequen. Retirar del fuego hacer puré.

2 Poner el fideo en un tazón grande, cubrir con agua hirviendo y reservar durante 10 minutos, o hasta que se suavice. Escurrir bien y cortar en piezas pequeñas con tijeras de la cocina.

3 Colocar las papas, el fideo, el salmón, las claras de huevo, la crema de elote, las cebollas de cambray, el pimiento, el pan molido, el eneldo y el jugo de limón en un tazón; revolver bien.

4 Dividir la mezcla en 8 porciones y hacer hamburguesas con ellas. Poner en una charola para hornear forrada con papel encerado y refrigerar durante 30 minutos, o hasta que estén firmes. Precalentar el horno a 200°C.

5 Rociar ligeramente una sartén de teflón con el aceite de oliva y calentar a fuego medio. Cocinar las hamburguesas por tandas hasta que estén bien doradas por ambos lados; pasar al horno y cocinar durante 10-15 minutos más, o hasta que se calienten bien. **Rinde 8 porciones**

NUTRIENTES por porción

Energía	726kJ
Energía	173cal
Grasa total	4.0g
Grasa saturada	1.1g
Grasa monoinsaturada	1.4g
Grasa poliinsaturada	1.2g
Proteínas	16.0g
Carbohidratos	18.0g
Fibra	2.2g
Sodio	400mg
Colesterol	41mg

Esta receta también puede hacerse con atún o cangrejo enlatado en vez de salmón.

Una guía para comprar alimentos más saludables

Elegir alimentos más sanos para cuidar el corazón no tiene que ser una ardua labor. Esto es lo que necesitas saber:

ETIQUETAS DE
LOS ALIMENTOS –
Simplificándolas

Las etiquetas de la comida son una guía útil para comprar alimentos nutritivos

◆ La lista de ingredientes indica exactamente lo que contiene el producto.
◆ La información nutricional enlista los atributos de cada nutriente clave del alimento (consultar la tabal 1 de la derecha).

Cómo leer la lista de ingredientes

◆ La lista de los ingredientes está hecha en orden, desde las cantidades más usadas hasta las menos usadas, según el peso del ingrediente.
◆ Los ingredientes principales de un alimento por lo general aparecen en los primeros tres renglones. Por ejemplo, si el segundo ingrediente es grasa animal, lo más probable es que el producto sea alto en grasa saturada.

Qué buscar en la lista de ingredientes

◆ Si en la lista del alimento hay varios ingredientes altos en grasa saturada, el contenido total de grasa saturada del producto también será elevado.
◆ Entre los ingredientes con alto contenido de grasa saturada están: la grasa animal, la grasa hidrogenada, el sebo, la mantequilla, el aceite de palma (generalmente llamado aceite vegetal o grasa), manteca, ghee (mantequilla clarificada), manteca de cerdo, grasa de la carne asada, aceite de coco, crema de coco, manteca de aceite de coco, sólidos de crema o de leche enteros, monoglicéridos o diglicéridos.

Tamaño por porción

Esta columna indica el contenido nutricional de una sola porción del producto sugerido por el fabricante. Es posible que no corresponda al tamaño real de la porción. Si quieres saber el contenido de varias porciones, tienes qu adaptar la información como correspon

Por 100g

Esta columna indica el contenido nutricional por cada 100g de peso del producto. Es útil para comparar el contenido nutricional de 100g de aliment similares. Por ejemplo, puedes usarla para comparar el contenido de grasa saturada de diferentes tipos de dips y seleccionar e que tenga menos grasa saturada.

◆ **Energía** es la cantidad de kilojoules o calorías del producto. Si estás controlan tu peso corporal, considera la cantidad d kilojoules o calorías de los alimentos que comes con frecuencia.

◆ **Grasa total** es la cantidad total de gra del producto. Incluye la cantidad de gras saturada, poliinsaturada y monoinsaturad

◆ **Grasa saturada**, aumenta el riesgo de una enfermedad cardiaca. Busca product bajos en grasa saturada.

◆ **Carbohidratos totales** es la cantidad total de carbohidratos del producto, con almidones, azúcares naturales y azúcares añadidas.

◆ **Carbohidratos, azúcares**, entre ellos se encuentran los azúcares naturales de los alimentos (como la lactosa de la lech o la fructosa de la fruta), así como el azúcar añadida (como el azúcar de mesa En el cuadro de información nutricional no se menciona de dónde proviene el azúcar del producto. Revisa la lista de ingredientes para averiguar de dónde viene el azúcar del alimento. Si el azúcar o ingredientes similares (por ejemplo dextrosa, fructosa, miel) aparecen entre los tres primeros ingredientes, sabrás qu el producto es alto en azúcar añadida. No obstante, si la fruta seca se encuentr entre los primeros tres ingredientes, entonces es muy probable que el azúcar añadida sea de origen natural. El azúcar no incrementa el riesgo de padecer una enfermedad del corazón o diabetes; pero brinda calorías innecesarias si estás restringiendo el consumo de energía.

Sodio (sal), este contenido puede rificarse en la columna "por 100g" ra comparar el contenido de sodio de oductos similares. Leer la columna "por orción" para que sepas cuánto sodio se nsumirá en cada porción.

NFORMACIÓN NUTRIMENTAL - ¿Qué significa en realidad?

Sin colesterol simplemente significa que producto no tiene colesterol. Aunque necesariamente quiere decir que el mento sea bajo en grasa saturada, o que ude a reducir la cantidad de colesterol la sangre.

Bajo en grasa significa que el alimento be contener 3%, o menos, de grasa (si sólido), o 1.5%, o menos, de grasa es líquido). Los alimentos que dicen ser jos en grasa deben incluir un cuadro de formación nutricional.

Reducido en grasa, estos productos ne 25% menos de grasa que

los productos normales. No son necesariamente productos bajos en grasa.

◆ Ligero o Light quiere decir que tienen menos grasa o sal. También puede significar que son de sabor ligero, como en el caso del aceite de oliva "ligero". Revisa la etiqueta nutricional para que veas la diferencia entre un producto ligero y uno normal.

◆ Bajo en sal significa que el producto contiene no más de 120mg de sodio por cada 100g de peso.

◆ Reducido en sal quiere decir que el producto tiene 25% menos sodio que el producto normal.

Junto a cada una de las recetas de este libro encontrarás un análisis de los nutrientes por porción. En él se incluye información sobre el total de grasa y el tipo de grasa de cada receta, así como de otros nutrientes importantes (consultar la página 154).

TABLA 1: Cómo leer el cuadro de información nutricional
Ejemplo: un dip 98% sin grasa / Porciones por paquete: 11 / Tamaño de la porción: 20g

	Por porción de 20g	Por 100g
Energía	119kJ	595kJ
Proteína	1.5g	7.7g
Grasa total	0.3g	1.7g
- grasa saturada	0	0
Carbohidratos		
- total	3.1g	15.3g
- azúcares	1.6g	8.2g
Sodio	25mg	123mg
Potasio	76mg	382mg

Sopas y entradas

Deliciosas y nutritivas sopas y entradas, con un rico sabor, que te llenan de bienestar y te mantienen en el camino correcto hacia un estilo de vida saludable. Descubre el placer de una entrada informal o de una gran comida con los amigos, o comidas individuales con nuestras mejores sugerencias de sopas y entradas.

Sopa de mariscos rústica estilo mediterráne

Tiempo de preparación 25 minutos Tiempo de cocción 25 minutos

200g de tubos de calamar, limpios
300g de camarones
200g de mejillones
250g de mezcla de filetes de pescado
    blanco (salmonete, perca de mar,
    cabracho)
1 cucharada de aceite de oliva
1 diente de ajo, machacado

1 cebolla, finamente picada
125ml de vino blanco
400g de tomates enlatados, picados
750ml de caldo de pescado,
    reducido en sal
1 pizca de azafrán
2 papas (300g), peladas
    y en cubos grandes

1 Cortar los calamares en aros. Pelar y desvenar los camarones, dejando las colas intactas. Lavar los mejillones y quitar las barbas. Desechar los que ya estén abiertos Quitar las espinas al pescado y cortar en piezas largas.

2 Calentar el aceite en una cacerola grande. Agregar el ajo y la cebolla, y saltear a fuego medio durante 3 minutos, o hasta que se dore la cebolla. Añadir el vino blanc y dejar que suelte el hervor. Tapar y dejar a fuego alto hasta que se absorba casi todo el líquido.

3 Agregar los tomates, el caldo de pescado, el azafrán, las papas, y cocinar a fuego lento durante 15 minutos, o hasta que se suavicen las papas. No cocer en exceso, o se romperán.

4 Añadir todos los mariscos y cocinar a fuego lento durante 3-5 minutos, o hasta que se suavicen. Servir acompañada de pan italiano. **Rinde 6 porciones**

Pueden usarse almejas en lugar de mejillones, o combinarlos.

Sopa de poro, camote y pasta

Tiempo de preparación 20 minutos Tiempo de cocción 40 minutos

2 cucharaditas de aceite de cártamo
2 poros, finamente rebanados
1 pizca de azafrán
1kg de camote anaranjado,
    pelado y picado
1l de caldo de pollo reducido en sal
1 rama de canela
1 ramillete de hierbas de olor
    (para dar sabor)

100g de ditalini (piezas pequeñas
    de pasta para sopa)
2 cucharadas de cebollín fresco, picado

Totopos de pan árabe
2 piezas de pan árabe
1 cucharada de aceite de oliva
2 cucharadas de queso parmesano,
    finamente rallado

1 Calentar el aceite en una cacerola grande, agregar los poros y cocinar a fuego med durante 5 minutos, o hasta que el poro esté suave y dorado. Añadir el azafrán y el camote, revolver durante 5 minutos o hasta que el camote se comience a suavizar.

2 Incorporar el caldo, la rama de canela y las hierbas de olor. Dejar que suelte el hervor y bajar la flama; dejar que hierva a fuego lento durante 30 minutos, o hasta que el camote esté muy suave. Sacar la rama de canela y las hierbas de olor.

3 Cocer la pasta en un cacerola con agua hirviendo hasta que esté al dente (cocida, pero firme en el centro). Escurrir bien.

4 Hacer puré la sopa, por tandas, hasta que la mezcla esté homogénea, devolver a la cacerola junto con la pasta y recalentar. Si está muy espesa, agregar un poco de agu

5 Para preparar los totopos de pan árabe: Usar un cortador para galletas y cortar el pan, barnizar ligeramente con aceite, espolvorear con queso parmesano y colocar otro pedazo encima. Dorar a la parrilla hasta que estén crujientes.

6 Para servir, poner la sopa en tazones, echar los totopos y espolvorear con el cebollín. **Rinde 6 porciones**

NUTRIENTES por porción

Energía	8741kJ
Energía	209cal
Grasa total	5.3g
Grasa saturada	1.1g
Grasa monoinsaturada	2.8g
Grasa poliinsaturada	0.7g
Proteínas	27.0g
Carbohidratos	9.8g
Fibra	2.1g
Sodio	357mg
Colesterol	170mg

TIP

El pescado sin aceite puede conservarse congelado hasta 4-6 meses, y el pescado con aceite hasta 3 meses. El pescado entero debe limpiarse y destriparse antes de meterse al congelador. Envuelve cada pieza, filete o corte en plástico y pégale una etiqueta con la fecha antes de congelarlo. Cuando el pescado esté sólido por el congelamiento, sumérgelo en agua fría y regrésalo al congelador para que se forme una capa de hielo protectora.

NUTRIENTES por porción

Energía	1442kJ
Energía	344cal
Grasa total	6.8g
Grasa saturada	1.4g
Grasa monoinsaturada	3.3g
Grasa poliinsaturada	1.1g
Proteínas	9.9g
Carbohidratos	61.0g
Fibra	5.9g
Sodio	818mg
Colesterol	3.17mg

Sopa de papa con chícharo

4 papas (500g), peladas y picadas
1 l de caldo de pollo reducido en sal
1 hoja de laurel
450g de chícharos congelados

2 ramas grandes de albahaca
4 cucharadas de crema agria
  reducida en grasa
pimienta negra al gusto

1 Poner las papas y el caldo en una cacerola grande y dejar que suelte el hervor. Agregar la hoja de laurel y cocinar a fuego medio durante 15 minutos, o hasta que las papas estén apenas suaves.
2 Añadir los chícharos y la albahaca, y seguir cocinando a fuego medio durante 5 minutos, o hasta que se suavicen los chícharos, con cuidado de no cocer en exceso porque los chícharos podrían perder su intenso color. Sacar las hojas de laurel y de albahaca, y desechar.
3 Procesar la sopa por tandas hasta que la mezcla esté homogénea, después regresa a la cacerola y volver a calentar.
4 Servir la sopa en tazones con una cucharada de crema agria en el centro de cada uno. Revolver ligeramente con una brocheta para dibujar una espiral en la sopa y sazonar con pimienta negra. **Rinde 6 porciones**

NUTRIENTES por porción

Energía	534kJ
Energía	128cal
Grasa total	3.3g
Grasa saturada	1.8g
Grasa monoinsaturada	0.7g
Grasa poliinsaturada	0.1g
Proteínas	7.0g
Carbohidratos	17.0g
Fibra	5.7g
Sodio	565mg
Colesterol	8.96mg

INGREDIENTE PRINCIPAL

Con frecuencia, se acusa a las PAPAS de que engordan, pero no tienen grasa y son una estupenda fuente de carbohidratos, de vitamina C y de fibra, potasio, tiamina y niacina.

Pan de calabaza

2 1/2 tazas de harina con levadura
1 cucharadita de polvo para hornear
1 taza de calabaza machacada
1 cucharada de hierba de limón fresca, picada

1 huevo, ligeramente batido
1 cucharada de leche baja
  o reducida en grasa
2 cucharadas de semillas de girasol

1 Precalentar el horno a 180°C. Cernir la harina y el polvo para hornear en un tazón grande, hacer un hueco en el centro e incorporar la calabaza y la hierba de limón.
2 Batir con un tenedor el huevo y la leche, e incorporar a la mezcla de la harina con una espátula, hasta que se forme una masa suave.
3 Desmoldar en una superficie ligeramente enharinada y amasar hasta que esté homogénea. Darle forma de pelota grande y aplanar un poco.
4 Colocar en una charola para horno de teflón y usar una espátula para cortar el pan en 8 porciones iguales, pero sin separar las piezas.
5 Barnizar el pan con agua y espolvorear con las semillas de girasol. Hornear durante 40 minutos, o hasta que se cueza. Estará listo cuando se escuche hueco al pegarle.
6 Dejar enfriar ligeramente antes de cortarlo. **Rinde 8 porciones**

Necesitarás aproximadamente 400g de calabaza para 1 taza de puré.

NUTRIENTES por porción

Energía	776kJ
Energía	185cal
Grasa total	2.9g
Grasa saturada	0.5g
Grasa monoinsaturada	0.6g
Grasa poliinsaturada	1.4g
Proteínas	6.5g
Carbohidratos	33.0g
Fibra	2.4g
Sodio	313mg
Colesterol	23mg

NUTRIENTES por porción

Energía	464kJ
Energía	110cal
Grasa total	0.8g
Grasa saturada	0.1g
Grasa monoinsaturada	0.1g
Grasa poliinsaturada	0.1g
Proteínas	19.0g
Carbohidratos	7.1g
Fibra	1.9g
Sodio	848mg
Colesterol	124mg

TIP

Si es posible, usa las bolsas de papel que dan en el súper cuando compres los champiñones. Éstos tienden a sudar en las bolsas de plástico y se marchitan más rápido.

NUTRIENTES por porción

Energía	1056kJ
Energía	252cal
Grasa total	1.3g
Grasa saturada	0g
Grasa monoinsaturada	0g
Grasa poliinsaturada	0g
Proteínas	10.6g
Carbohidratos	48.6g
Fibra	2.9g
Sodio	670mg
Colesterol	12mg

Sopa thai de camarones con limoncillo

Tiempo de preparación 20 minutos **Tiempo de cocción** 20 minutos

500g de camarones grandes
3 tallos de limoncillo
1l de caldo de pescado reducido en sal
1 pieza de jengibre de 2cm, pelada y en tiras finas
2 hojas de limón agrio, en tiras finas
1/2 piña chica, pelada y descorazonada

1/2 cucharada de salsa de pescado
1 cucharada de jugo de limón
6 cebollas de cambray, finamente rebanadas en diagonal
1/2 taza de hojas de cilantro fresco
pimienta al gusto

1 Pelar y desvenar los camarones, dejando las colas intactas. Reservar las cáscaras y desechar las venas. Partir los tallos de limoncillo a la mitad, y exprimir las puntas c la parte lisa del cuchillo.
2 Colocar las cáscaras de camarón en una cacerola mediana con el caldo y dejar que suelte el hervor poco a poco. Bajar la flama y cocinar a fuego lento durante 10 minutos. Colar, devolver a la cacerola y agregar el limoncillo, el jengibre y las hojas de limón; volver a cocinar a fuego lento.
3 Partir la piña en trozos delgados y añadir al caldo junto con los camarones; dejar e el fuego hasta que los camarones estén rosas y suaves (unos cuantos minutos, dependiendo de su tamaño). Incorporar la salsa de pescado, el jugo de limón, las cebollas de cambray y el cilantro.
4 Sacar el limoncillo y las hojas de limón, sazonar con pimienta y servir inmediatamente. **Rinde 6 porciones**

Sopa de fideos con champiñones

Tiempo de preparación 15 minutos + tiempo para reposar
Tiempo de cocción 20 minutos

30g (8 piezas) de champiñones shiitake
1l de caldo de verduras reducido en sal
1 pieza de 3cm de jengibre, machacada
1 diente de ajo, partido a la mitad
1 anís estrella entero
1 cucharada de salsa de soya, reducida en sal

100g de champiñones oyster
400g de fideos udon (tallarín japonés)
3 cebollas de cambray, rebanadas
100g de setas enoki, separados el tallo de la cabeza

1 Colocar los shiitake en un refractario, agregar 1 taza de agua hirviendo y dejar reposar durante 25 minutos, o hasta que los champiñones estén suaves. Escurrir, colar y reservar el líquido. Partir los champiñones en rebanadas finas.
2 Poner el caldo, el agua de los champiñones, el jengibre, el ajo, el anís estrella y la sa de soya en una cacerola grande, y dejar que suelte el hervor. Bajar la flama y cocina a fuego lento durante 10 minutos. Sacar el jengibre, el ajo y el anís, y desechar.
3 Agregar los champiñones oyster, los shiitake escurridos, los fideos udon y las cebollas de cambray; revolver con cuidado durante 5 minutos.
4 Añadir las setas enoki y calentar durante 1 minuto, o hasta que se suavicen. Servir caliente. **Rinde 6 porciones**

Sopa de brócoli con arvejas amarillas y curry con naan de ajo

Tiempo de preparación 15 minutos **Tiempo de cocción** 1 hora 15 minutos

2 cucharaditas de aceite de cártamo
1 cebolla, rebanada
1 cucharada de pasta de curry madrás
1 taza de arvejas amarillas
1/2 taza de lentejas cafés
1l de caldo de verduras reducido en sal
500g de espinacas inglesas,
   lavadas y picadas

300g de brócoli, en ramilletes
1 cucharada de jugo de limón

Naan de ajo (pan indio)
2 tortillas de naan o pan pita
2 dientes de ajo, machacados
1 cucharada de aceite de maíz
1 cucharadita de semillas de comino

1 Calentar el aceite en una cacerola grande, agregar la cebolla y la pasta de curry; cocinar durante unos minutos, hasta que se suavice la cebolla y el curry suelte el aroma.

2 Añadir las arvejas, las lentejas, el caldo de verduras, 500ml de agua, y dejar que sue el hervor, sacando la espuma de vez en cuando para desgrasar. Tapar y dejar que s cocine a fuego lento durante 1 hora, o hasta que las arvejas y las lentejas estén m suaves.

3 Agregar la espinaca picada y el brócoli; dejar que se siga cocinando durante un pa de minutos, hasta que el brócoli se suavice. Sazonar con el jugo de limón.

4 Para preparar el naan de ajo: Precalentar el horno a 180°C. Colocar el naan en d charolas para horno de teflón, barnizar con la mezcla de aceite y ajo, y espolvorea con las semillas de comino. Cubrir con papel aluminio y hornear durante 15 minutos, o hasta que estén bien calientes. Cortar en tiras gruesas y servir calientes con la sopa. **Rinde 6 porciones**

INGREDIENTE PRINCIPAL

El BRÓCOLI está íntimamente relacionado con la coliflor, y es una de las verduras más nutritivas. Es una excelente fuente de vitamina C, así como de fibra y potasio. También contiene caroteno, vitamina E y varias vitaminas del grupo B, entre ellas el ácido fólico.

TIP

Es muy fácil reducir el exceso de sal de las recetas utilizando caldo reducido en sal. Para bajar aún más el contenido de sal de las sopas y otros alimentos que requieren caldo para su cocción, simplemente sustituye una parte del volumen del caldo con agua.

Sopa de verduras con pollo y bastones de que

Tiempo de preparación 30 minutos **Tiempo de cocción** 40 minutos

2 pechugas de pollo sin piel
1 l de caldo de pollo reducido en sal
1 cucharada de aceite de cártamo
2 poros, lavados y finamente rebanados
2 zanahorias, picadas
2 tallos de apio, picados
3 dientes de ajo, machacados
6 tazas de hojas verdes tiernas (berro, rúcula, acedera, espinaca baby), lavadas

3 cucharadas de pesto fresco (ver la página 62)
pimienta negra troceada al gusto

Bastones de queso
1 lámina de pasta hojaldrada con aceite de cártamo
3 cucharadas de queso reducido en grasa, finamente rallado

1 Colocar el pollo en una cacerola, agregar el caldo suficiente para cubrirlo y cocer fuego lento durante 10 minutos, o hasta que se cueza. Reservar para que se enfrí
2 Calentar el aceite en una cacerola grande, añadir el poro y saltear durante 2 minutos, o hasta que se suavice. Agregar la zanahoria, el apio y el ajo; colar el cal con el pollo cocido e incorporar a las verduras con el resto del caldo. Cocinar a fuego lento durante 10 minutos. Picar finamente las hojas verdes, añadirlas a la so y cocinar durante 10 minutos más.
3 Deshebrar finamente las pechugas de pollo, y agregarlas a la sopa. Añadir el pesto sazonar con mucha pimienta troceada.
4 Para hacer los bastones de queso: Precalentar el horno a 220°C. Cortar la pasta hojaldrada en tiras de 2cm de grosor y colocar en una charola para horno forrad con papel encerado. Espolvorear con el queso y hornear durante 20 minutos o h que estén crujientes y dorados.
5 Servir la sopa en tazones anchos acompañada de los bastones de queso. **Rinde 6 porciones**

Sopa de pescado, tomate y garbanzo con especias

Tiempo de preparación 15 minutos + tiempo para reposar **Tiempo de cocción** 35 minu

1 cucharada de aceite de oliva
1 cebolla, picada
1 cucharadita de cilantro molido
1 cucharadita de comino molido
1 cucharadita de pimienta de Jamaica
1 chile verde, finamente rebanado
400g de tomates enlatados, picados
400g de garbanzos enlatados, enjuagados y escurridos
1 l de caldo de pescado reducido en sal

500g de filete de pescado blanco firme (cabracho, besugo, perca), en piezas largas
1/3 taza de cuscús
yogur natural espeso, reducido en grasa para servir
1 cucharada de perejil fresco, picado
1 cucharada de menta fresca, picada
pan árabe, para servir

1 Calentar el aceite en una cacerola grande, agregar la cebolla y saltear a fuego med durante 3 minutos, o hasta que la cebolla se suavice y se dore.
2 Añadir las especias y el chile, y saltear hasta que suelte el aroma, 2 minutos aproximadamente. Incorporar los tomates, los garbanzos y el caldo de pollo, y de que suelte el hervor. Bajar la flama y dejar que se cocine a fuego lento destapado durante 15 minutos.
3 Agregar el pescado y cocinar durante 5 minutos más, o hasta que el pescado esté apenas suave. Quitar la sopa de la flama, añadir el cuscús y tapar. Reservar durante 10 minutos, o hasta que se suavice el cuscús.
4 Servir con una cucharada de yogur y espolvoreada con menta y perejil. Acompaña con rebanadas de pan árabe. **Rinde 6 porciones**

NUTRIENTES por porción

Energía	1781kJ
Energía	426cal
Grasa total	22g
Grasa saturada	8.5g
Grasa monoinsaturada	8.7g
Grasa poliinsaturada	2.3g
Proteínas	37.0g
Carbohidratos	21.0g
Fibra	4.9g
Sodio	1227mg
Colesterol	81mg

INGREDIENTE PRINCIPAL

Todos los CHILES son picosos, pero los más pequeños son los que más pican, y más aún cuando están verdes. Quítales las semillas para que no piquen tanto en los platillos, y lávate las manos inmediatamente después de manejarlos porque sus aceites pueden irritar la piel. Si no encuentras chiles frescos, usa hojuelas o chile en polvo.

NUTRIENTES por porción

Energía	1450kJ
Energía	346cal
Grasa total	9.9g
Grasa saturada	1.9g
Grasa monoinsaturada	3.6g
Grasa poliinsaturada	2.7g
Proteínas	31.0g
Carbohidratos	33.0g
Fibra	10.0g
Sodio	687mg
Colesterol	58mg

Rollos de res con limoncillo

Tiempo de preparación 15 minutos + tiempo para reposar **Tiempo de cocción** 10 minut

50g de vermicelli chino (fideo de arroz)
350g de carne de res magra molida
1/2 taza de germen de soya
2 tallos de limoncillo, finamente picados
1 cucharada de jugo de limón
1 cucharada de salsa de pescado
2 cebollas de cambray, finamente
   rebanadas

200g de castañas de agua enlatadas,
   escurridas y finamente picadas
12 hojas de papel de arroz
12 hojas de menta fresca
salsa de chile dulce, para sumergir

1 Poner el vermicelli en un tazón, cubrir con agua hirviendo y dejar reposar durante
   10 minutos, o hasta que se suavicen. Enjuagar bien.
2 Colocar la carne de cerdo y tres cucharadas de agua en una sartén, cocinar a fuego
   alto durante 10 minutos, o hasta que la carne esté suave y cocida. Escurrir el exces
   de líquido.
3 Pasar la carne de res a un tazón, agregar el vermicelli, el germen de soya, el
   limoncillo, el jugo de limón, la salsa de pescado, las cebollas de cambray y las castañ
   de agua.
4 Remojar las hojas de papel de arroz, una por una, en un recipiente con agua tibia
   hasta que se suavicen, o colocar un tazón de agua a cada comensal y que cada uno
   remoje las suyas.
5 Colocar una hoja de menta en el borde de una hoja de arroz, agregar 2 cucharada
   de la mezcla de carne, doblar las puntas, y enrollar.
6 Servir con la salsa de chile dulce. **Rinde 12 porciones**

NUTRIENTES por porción

Energía	213kJ
Energía	51cal
Grasa total	1.4g
Grasa saturada	0.5g
Grasa monoinsaturada	0.5g
Grasa poliinsaturada	0.1g
Proteínas	6.7g
Carbohidratos	2.7g
Fibra	0.7g
Sodio	142mg
Colesterol	20mg

TIP

La receta de los rollos de res
con limoncillo también sabe
deliciosa si se hace con pollo
o carne de cerdo magra en
lugar de res. Si no tienes
hojas de papel de arroz,
usa hojas de lechuga o de
espinaca inglesa.

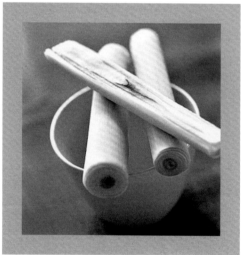

INGREDIENTE PRINCIPAL

El LIMONCILLO es una
hierba tropical, aromática,
y hay que quitarle los tallos
externos duros antes de
usarlo. Por lo general, sólo se
usa la parte blanca, pero el
tallo entero se utiliza en curris,
si se saca antes de servir. El tallo
puede machacarse (para que
suelte el aroma) o picarse o
rebanarse finamente.

Ensalada de pulpo baby a la parrilla

> Tiempo de preparación 20 minutos + tiempo para marinar
> Tiempo de cocción 10 minutos

360g de pulpos baby, limpios
1 cucharadita de aceite de ajonjolí
1 cucharada de jugo de limón
1/4 taza de salsa de chile dulce
1 cucharada de salsa de pescado
50g de vermicelli chino (fideo de arroz)

100g de hojas mixtas de ensalada
1 taza de germen de soya
1 pepino, a la mitad
200g de tomates cherry, en mitades
1/2 taza de tallos de cilantro fresco
rebanadas de limón, para servir

1. Enjuagar el pulpo limpio y secar con toallas de papel.
2. Poner el aceite de ajonjolí, el jugo de limón, la salsa de chile dulce y la salsa de pescado en un bol y batir con el tenedor. Verter sobre el pulpo y mezclarlo en la marinada. Tapar con plástico adherente y dejar marinar durante 4 horas, o toda la noche. Escurrir y reservar la marinada.
3. Colocar el vermicelli en un tazón, cubrir con agua hirviendo y dejar reposar durar 10 minutos, o hasta que se suavice. Escurrir bien.
4. Dividir las hojas mixtas de ensalada en cuatro platos, poner encima el germen de soya, el vermicelli, el pepino y el tomate.
5. Cocinar el pulpo en la parrilla precalentada hasta que esté suave y con buen color Poner la marinada en una cacerola chica y dejar que suelte el hervor. Servir el pulp sobre la ensalada, bañar con la marinada caliente y adornar con el cilantro y las ho de limón. **Rinde 4 porciones**

NUTRIENTES por porción

Energía	549kJ
Energía	131cal
Grasa total	3.0g
Grasa saturada	0.7g
Grasa monoinsaturada	0.7g
Grasa poliinsaturada	1.0g
Proteínas	17.0g
Carbohidratos	8.6g
Fibra	3.1g
Sodio	807mg
Colesterol	179mg

INGREDIENTE PRINCIPAL

Los OSTIONES son una buena fuente de proteínas y zinc. Contienen muy poca grasa. Los ostiones sólo necesitan uno o dos minutos para cocerse, ya que si se cuecen en exceso se endurecen y se arruina su carne dulce y tierna.

Espárragos con ostiones dorados y aderezo de vino blanco

> Tiempo de preparación 10 minutos　Tiempo de cocción 20 minutos

4 papas amarillas, peladas
2 manojos de espárragos
aceite de oliva en espray
16 ostiones sin coral
2 dientes de ajo, machacados
1 cucharada de ralladura de limón
250ml de vino blanco seco

2 cucharadas de jugo de limón
1 cucharadita de azúcar blanca
20g de pasta para untar de aceite de ol
　(o aceite de oliva líquido)
pimienta negra troceada al gusto
hojas de perifollo fresco, para servir

1. Cocer las papas al vapor o en el horno de microondas, hasta que estén suaves. Escurrir y dejar enfriar ligeramente antes de partir en rebanadas gruesas.
2. Cocer los espárragos al vapor o en el horno de microondas. Escurrir bien.
3. Rociar con el aceite de oliva una sartén de teflón y calentar. Cocinar los ostiones por tandas a fuego alto hasta que se doren, 1 minuto de cada lado aproximadamer Sacar de la sartén y conservar calientes. No cocer en exceso o se pondrán duros.
4. Agregar el ajo, la ralladura de limón, el vino blanco, el jugo de limón y el azúcar a l sartén, y dejar que suelte el hervor. Revolver y seguir cocinando a fuego lento has que se reduzca a la mitad.
5. Incorporar la pasta para untar de aceite de oliva y cocinar hasta que se funda. Sazonar con pimienta negra troceada.
6. Dividir los espárragos en cuatro platos, servir encima las rebanadas de papa y los ostiones, y bañar con el aderezo de vino blanco. Adornar con las hojas de perifoll fresco y servir inmediatamente. **Rinde 4 porciones**

NUTRIENTES por porción

Energía	873kJ
Energía	209cal
Grasa total	5.6g
Grasa saturada	0.8g
Grasa monoinsaturada	3.6g
Grasa poliinsaturada	0.6g
Proteínas	10.0g
Carbohidratos	19.0g
Fibra	2.7g
Sodio	105mg
Colesterol	17mg

NUTRIENTES por porción

Energía	565kJ
Energía	135cal
Grasa total	1.4g
Grasa saturada	0.4g
Grasa monoinsaturada	0.3g
Grasa poliinsaturada	0.4g
Proteínas	5.3g
Carbohidratos	25.0g
Fibra	2.2g
Sodio	352mg
Colesterol	0mg

NUTRIENTES por porción

Energía	907kJ
Energía	217cal
Grasa total	7.3g
Grasa saturada	2.7g
Grasa monoinsaturada	2.2g
Grasa poliinsaturada	1.9g
Proteínas	13.0g
Carbohidratos	25.0g
Fibra	1.7g
Sodio	564mg
Colesterol	41mg

NUTRIENTES por porción

Energía	722kJ
Energía	173cal
Grasa total	5.0g
Grasa saturada	1.2g
Grasa monoinsaturada	2.0g
Grasa poliinsaturada	1.5g
Proteínas	6.0g
Carbohidratos	25.0g
Fibra	2.1g
Sodio	361mg
Colesterol	2.42mg

Bruschetta de jitomate, ajo y albahaca

Tiempo de preparación 10 minutos **Tiempo de cocción** 5 minutos

1 hogaza de chapata o 1 baguette
2 dientes de ajo, en mitades

1 diente de ajo, machacado
1 cucharada de albahaca, en trozos finos
pimienta negra troceada

Jitomate, ajo y albahaca
2 jitomates maduros, picados

1 Para preparar la base de la bruschetta: Partir el pan en rebanadas gruesas y tostar por ambos lados hasta que estén doradas y crujientes. Frotar el ajo en ambos lados del pan.
2 Para preparar la cubierta de jitomate, ajo y albahaca: Revolver el jitomate picado, el ajo y las tiras de albahaca. Servir en los panes tostados y espolvorear con la pimienta negra troceada. **Rinde 8 porciones**

Bruschetta de sardinas y queso ricota

Tiempo de preparación 10 minutos **Tiempo de cocción** 5 minutos

1 hogaza de chapata o 1 baguette
2 dientes de ajo, en mitades

ralladura de 1 limón
1 cucharada de tomillo fresco, picado
2 latas de 125g de sardinas, escurridas, en mitades y sin espinas
1/2 limón en rebanadas muy finas

Ricota y sardinas
100g de queso ricota reducido en grasa

1 Para preparar la base de la bruschetta: Partir el pan en rebanadas gruesas y tostar por ambos lados hasta que estén doradas y crujientes. Frotar el ajo en ambos lados del pan.
2 Para preparar la cubierta de queso ricota y sardinas: Colocar el ricota, la ralladura de limón y el tomillo en un tazón y revolver bien. Untar en el pan tostado y poner encima las sardinas y las rebanadas de limón.

Bruschetta de pimientos y alcaparras

Tiempo de preparación 10 minutos **Tiempo de cocción** 10 minutos

1 hogaza de chapata o 1 baguette
2 dientes de ajo, en mitades

1 cucharada de alcaparras baby
1 cucharada de vinagre balsámico
2 cucharaditas de aceite de oliva extra virgen
2 cucharadas de queso crema reducido en grasa

Pimiento y alcaparras
1 pimiento amarillo, sin semillas
1 pimiento rojo, sin semillas
1 cucharada de piñones, tostados

1 Para preparar la base de la bruschetta: Partir el pan en rebanadas gruesas y tostar por ambos lados hasta que estén doradas y crujientes. Frotar el ajo en ambos lados del pan.
2 Para preparar la cubierta de pimiento y alcaparras: Cortar los pimientos rojo y amarillo en piezas largas y planas, y cocinar en la parrilla, precalentada a fuego alto, durante un par de minutos, o hasta que la piel se ampolle y se ennegrezca. Meter en una bolsa de plástico y dejar enfriar. Pelar y cortar en tiras. Revolver los piñones, las alcaparras, el vinagre balsámico y el aceite.
3 Untar el queso crema en las rebanadas de pan doradas y encima servir la mezcla de pimientos y alcaparras. **Rinde 8 porciones**

Tomate (atrás), Sardina (enmedio) y pimiento (enfrente) Brusche

Lasaña de verduras y pesto

| Tiempo de preparación 40 minutos Tiempo de cocción 5 minutos |

Pesto
2 dientes de ajo
2 cucharadas de piñones, tostados
I taza de hojas de albahaca fresca
2 cucharadas de queso parmesano,
   finamente rallado
2 cucharadas de aceite de oliva extra virgen

375g de láminas de lasaña
50g de hojas de espinaca baby
4 jitomates maduros grandes,
   en rebanadas gruesas
6 piezas de queso bocconcini o
   mozzarella, en rebanadas gruesas
8 hojas de albahaca fresca

I Para preparar el pesto: Poner el ajo, los piñones, las hojas de albahaca y el queso parmesano en el procesador de alimentos, y procesar hasta que estén picados en trozos grandes.

2 Con el motor encendido, agregar el aceite poco a poco y procesar hasta que la mezcla se convierta en una pasta homogénea.

3 Partir las láminas de lasaña en 12 cuadros de 8cm. Cocer en una cacerola grande con agua hirviendo hasta que estén cocidas, pero firmes en el centro (al dente). Escurrir bien.

4 Colocar una lámina en el centro de cada plato, poner encima un par de hojas de espinacas, una rebanada de jitomate y una de queso, una hoja de albahaca fresca y una cucharada de pesto.

5 Colocar encima otra lámina de lasaña y repetir la capa de ingredientes, terminando con una lámina de lasaña. Cada porción debe tener dos capas completas.

6 Servir una cucharada generosa de pesto encima de cada porción y servir inmediatamente. **Rinde 4 porciones**

NUTRIENTES por porción

Energía	2650kJ
Energía	633cal
Grasa total	27.0g
Grasa saturada	7.6g
Grasa monoinsaturada	12.0g
Grasa poliinsaturada	5.6g
Proteínas	28.0g
Carbohidratos	69.0g
Fibra	7.6g
Sodio	321mg
Colesterol	36mg

INGREDIENTE PRINCIPAL

El ACEITE DE GIRASOL contiene grasa que es poliinsaturada en su mayoría. Es una de las fuentes más ricas en vitamina E. El aceite de girasol tiene un sabor suave y puede usarse en ensaladas o para cocinar.

Pizza marroquí de cordero

| Tiempo de preparación 30 minutos Tiempo de cocción 20 minutos |

I cucharada de aceite de girasol
I cebolla morada, finamente picada
2 dientes de ajo, machacados
225g de carne de cordero magra, molida
$\frac{1}{2}$ taza de tomates de lata, machacados
I cucharadita de comino molido
I cucharadita de cilantro molido
$\frac{1}{2}$ cucharadita de canela
I cucharada de cilantro fresco, picado
I cucharada de jugo de limón
4 bases individuales para pizza,
   97% sin grasa

2 cucharadas de piñones, tostados
120g de queso mozzarella
   reducido en grasa, rallado
I taza de hojas de menta frescas
I taza de perejil de hoja lisa fresco
pimienta negra troceada
2 cucharadas de chutney de mango
(conserva agridulce)
Raita (salsa de yogur)
I taza de yogur natural reducido en gras
I pepino, rallado
I cucharada de menta fresca, picada

I Calentar el aceite en una sartén, agregar la cebolla y I diente de ajo machacado; cocinar a fuego medio durante I minuto. Añadir el cordero y cocinar hasta que la carne se dore, rompiéndola en trozos con un tenedor. Escurrir el exceso de grasa de la sartén. Incorporar los tomates, el comino, el cilantro molido y la canela; cocin durante 5 minutos. Agregar el cilantro fresco y el de jugo de limón.

2 Precalentar el horno a 200°C. Servir la mezcla de cordero en las bases de las pizza y espolvorear con los piñones y el queso mozzarella. Hornear durante 10 minutos, o hasta que el queso se funda y las pizzas se calienten bien.

3 Para preparar la raita: En un tazón, revolver el yogur, el pepino rallado, el resto del ajo machacado y la menta picada.

4 Revolcar las hojas de menta y perejil en el resto del jugo de limón y sazonar con pimienta. Servir las pizzas adornadas con las hojas de las hierbas, la raita y chutney.
Rinde 4 porciones

NUTRIENTES por porción

Energía	2039kJ
Energía	487cal
Grasa total	21.7g
Grasa saturada	6.0g
Grasa monoinsaturada	6.5g
Grasa poliinsaturada	5.1g
Proteínas	31.7g
Carbohidratos	40.7g
Fibra	3.8g
Sodio	621mg
Colesterol	65.75mg

NUTRIENTES por porción

Energía	1558kJ
Energía	372cal
Grasa total	24.0g
Grasa saturada	8.7g
Grasa monoinsaturada	8.1g
Grasa poliinsaturada	5.5g
Proteínas	31.0g
Carbohidratos	8.4g
Fibra	5.6g
Sodio	237mg
Colesterol	50mg

TIP

Las LÁMINAS DE WONTÓN son piezas delgadas de masa maleable tipo pasta. Pueden usarse para envolver rellenos muy dulces o salados. Conserva las láminas tapadas para evitar que se sequen, y una vez abiertas, almacénalas en el refrigerador sólo durante 3-4 días. Las láminas de wontón se consiguen frescas o congeladas en tiendas donde venden productos asiáticos, o congeladas en algunos supermercados.

NUTRIENTES por porción

Energía	1541kJ
Energía	367cal
Grasa total	6.3g
Grasa saturada	1.1g
Grasa monoinsaturada	2.3g
Grasa poliinsaturada	2.0g
Proteínas	37.0g
Carbohidratos	28.0g
Fibra	3.0g
Sodio	342mg
Colesterol	224mg

Pollo satay con ensalada de col crujiente

Tiempo de preparación 40 minutos + tiempo para remojar
Tiempo de cocción 20 minutos

400g de pechuga de pollo sin piel
2 cucharaditas de aceite de cacahuate

1 1/2 cucharadas de salsa de chile dulce
1 1/2 cucharadas de jugo de limón

Salsa satay

2 cucharadas de aceite de cacahuate
2 dientes de ajo, machacados
1 cebolla, finamente picada
1/4 taza de mantequilla de cacahuate
270ml de leche de coco reducida en grasa

Ensalada de col crujiente

1/4 de col china, finamente picada
1 zanahoria, en tiras finas
1 pimiento rojo, en tiras finas
2 cucharadas de semillas de ajonjolí tostadas

1   Remojar 12 brochetas de bambú en agua fría durante 20 minutos.
2   Cortar el pollo en tiras delgadas y ensartar en las brochetas.
3   Barnizar ligeramente las brochetas con aceite y colocar en una charola para parrilla forrada con papel aluminio. Asar a fuego alto, volteando un par de veces durante la cocción, hasta que el pollo esté tierno.
4   Para preparar la salsa satay: Calentar el aceite en una cacerola chica, agregar el ajo la cebolla, y cocinar a fuego medio durante 5 minutos, o hasta que se doren. Añadir la crema de cacahuate, la leche de coco, la salsa de chile dulce y el jugo de limón; dejar cocinar a fuego lento durante 10 minutos o hasta que espese la salsa.
5   Para preparar la ensalada de col: Poner la col, la zanahoria, el pimiento y las semilla de ajonjolí en un tazón, y revolver bien.
6   Para servir, poner una porción de ensalada en los platos, encima colocar las brochetas de pollo y bañar con la salsa satay. **Rinde 4 porciones**

Ravioles de camarón y jengibre

Tiempo de preparación 30 minutos **Tiempo de cocción** 15 minutos

600g de camarones, pelados y desvenados
1 diente de ajo, picado
1 cucharada de jengibre fresco, rallado
2 cebollas de cambray, finamente rebanadas
200g de láminas de wontón
ramas de cilantro fresco, para adornar

Aderezo

1 chile rojo chico, finamente rebanado
1 cucharada de salsa de pescado
2 cucharaditas de azúcar de palma
2 cucharaditas de jugo de limón
1 cucharada de aceite de cacahuate

1   Picar finamente los camarones. Colocar los camarones, el ajo, el jengibre y las cebollas de cambray en un tazón, y revolver bien.
2   Poner una cucharada copeteada de la mezcla en el centro de una lámina de wontón barnizar los bordes ligeramente con agua y poner encima otra lámina. Presionar los bordes con firmeza para sellar. Repetir el proceso con el resto del relleno y las láminas.
3   Cocinar los ravioles por tandas en una cacerola con agua hirviendo durante 5 minutos. Escurrir bien y pasar a los platos.
4   Para preparar el aderezo: Poner el chile, la salsa de pescado, el azúcar de palma, el jugo de limón y el aceite de cacahuate en un bol y revolver bien.
5   Bañar los ravioles con el aderezo y servir espolvoreados con el cilantro fresco. **Rinde 4 porciones**

Ensaladas como plato principal

¿Quién dice que las ensaladas no satisfacen? Nosotros no. Para aquellos días que no se te antoja un plato de sopa caliente, prepara una ensalada y toma un rayo de sol. Nuestras ensaladas como plato principal te ayudarán a elegir opciones sanas para los días de calor, y te sentirás feliz por haberlo hecho.

NUTRIENTES por porción

Energía	974kJ
Energía	233cal
Grasa total	4.6g
Grasa saturada	1.6g
Grasa monoinsaturada	1.9g
Grasa poliinsaturada	0.7g
Proteínas	30.0g
Carbohidratos	18.0g
Fibra	1.9g
Sodio	649mg
Colesterol	84mg

Ensalada de res thai

Tiempo de preparación 30 minutos **Tiempo de cocción** 10 minutos

500g de filete de lomo de res
pimienta negra
1 chile rojo chico, finamente picado
2 cucharadas de jugo de limón
2 cucharadas de salsa de pescado
2 cucharadas de azúcar de palma
   o azúcar morena
1 cucharadita de aceite de ajonjolí

1/4 col china, finamente picada
1 taza de ramas de cilantro fresco
1 taza de ramas de menta fresca
100g de chícharos chinos
1 pepino, rebanado
1 cebolla morada chica,
   finamente rebanada
200g de tomates cherry, en mitades

1 Quitar cualquier exceso de grasa o nervios a la carne. Sazonar con pimienta negra

2 Cocinar la carne en una parrilla ligeramente engrasada durante unos minutos hasta que esté en término medio. Sacar y dejar reposar durante 10 minutos, rebanar en tiras muy delgadas.

3 Poner el chile, el jugo de limón, la salsa de pescado, el azúcar de palma y el aceite de ajonjolí en un bol, y batir con un tenedor.

4 Revolver la col, la mitad del cilantro, la menta, los chícharos chinos, el pepino, la cebolla y los tomates en una ensaladera grande, o en platos individuales.

5 Servir encima las tiras de carne, bañar con el aderezo y adornar con el resto del cilantro. **Rinde 4 porciones**

Ensalada de calamares a la parrilla y puré de frijol

Tiempo de preparación 20 minutos + tiempo para marinar **Tiempo de cocción** 10 minut

4 tubos grandes de calamar, limpios
100ml de aceite de oliva extra virgen
6 dientes de ajo, machacados
3 chiles rojos chicos, finamente rebanados
2 cucharadas de orégano fresco, picado
1 rama de romero

1 lata de 300g de alubias blancas,
   enjuagadas y escurridas
4 cebollas de cambray,
   finamente rebanadas
2 cucharadas de perejil de hoja lisa fresc
2 cucharadas de jugo de limón
hojas de rúcula (arúgula), para servir

NUTRIENTES por porción

Energía	1472kJ
Energía	350cal
Grasa total	18.6g
Grasa saturada	2.9g
Grasa monoinsaturada	11.3g
Grasa poliinsaturada	2.1g
Proteínas	34.6g
Carbohidratos	11.3g
Fibra	7.3g
Sodio	747mg
Colesterol	332mg

1 Abrir los tubos de calamar por un costado con un cuchillo filoso, cortar en piezas largas y con un cuchillo afilado marcar la parte inferior con dibujos en forma de diamante, pero sin cortar la carne. Poner en un tazón 25ml de aceite de oliva, 3 dientes de ajo, 2 chiles rojos y el orégano con los trozos de calamar, tapar y marinar en el refrigerador durante 1-3 horas.

2 Poner 75ml de aceite, romero, 3 dientes de ajo y 1 chile en una cacerola chica, y calentar hasta que el ajo comience a dorar. Colar el aceite condimentado y reserv

3 Poner las alubias en otra cacerola y calentar. Pasar la mitad de las alubias al procesador de alimentos. Con el motor encendido, verter en hilillo el aceite condimentado. Incorporar el resto de las alubias al puré. Reservar para conservar caliente. Desechar los ingredientes que se usaron para condimentar el aceite.

4 Calentar la parrilla, escurrir el exceso de aceite de los calamares y asar a la parrilla fuego muy alto durante un par de minutos, o hasta que se cuezan.

5 Incorporar las cebollas de cambray y el perejil a la mezcla de alubias, servir una generosa cantidad en cada plato y poner encima los trozos de calamar. Bañar con jugo de limón y servir con rúcula. **Rinde 4-6 porciones**

Ensalada thai de pescado y mango

Tiempo de preparación 25 minutos **Tiempo de cocción** 10 minutos

TIP

Para conseguir el máximo sabor y valor nutricional, el pescado debe comprarse y consumirse lo más fresco posible. Busca pescados enteros con ojos brillantes y saltones, y carne firme que no se hunda al tacto. Los filetes de pescado deben estar blancos o tener un tono rosa natural. El pescado con huellas de decoloración o con un aroma desagradable no debe comprarse, todo el pescado debe tener un olor fresco, agradable.

2 mangos chicos
2 pepinos
1 pimiento rojo, asado, pelado y en tiras delgadas
2 cucharadas de ramas de menta fresca
2 cucharadas de ramas de cilantro fresco
80ml de jugo de limón
1 cucharadita de jengibre fresco, rallado

2 cucharadas de salsa de pescado
3 cucharadas de salsa de chile dulce
1 cucharada de azúcar de palma ligera, o azúcar morena
260g (4 filetes) de bacalao
1 cucharada de aceite de cacahuate
2 cucharadas de cacahuates sin sal, picados en trozos grandes

1 Pelar los mangos y rebanar la carne en tiras delgadas. Pasar el pelador por el pepino y hacer listones largos, poner en un tazón con el pimiento, la menta y el cilantro. Revolver, tapar y refrigerar mientras se prepara el resto de la ensalada.

2 Poner el jugo de limón, el jengibre, la salsa de pescado, la salsa de chile dulce y el azúcar de palma en una jarra, y revolver bien.

3 Precalentar la parrilla, barnizar ligeramente los filetes de pescado con el aceite de cacahuate y cocinar a fuego alto durante 3-4 minutos de cada lado, o hasta que se cuezan. Servir un poco de ensalada en cada plato y poner encima el pescado.

4 Bañar el pescado y la ensalada con el aderezo. Servir espolvoreada con cacahuates.
Rinde 4 porciones

INGREDIENTE PRINCIPAL

Los MANGOS son una excelente fuente de caroteno, que se convierte en vitamina A en el cuerpo, y vitamina C. Contiene pequeñas cantidades de otras vitaminas, así como minerales, como el potasio. Los mangos son una fruta de verano, pero puede usarse mango enlatado en las recetas, como sustituto, en otras estaciones.

Ensalada de cordero, orégano y cuscús

Tiempo de preparación 20 minutos + tiempo para marinar **Tiempo de cocción** 15 minut

500g de lomo de cordero
2 dientes de ajo, machacados
1 cucharadita de canela molida
1 cucharadita de pimienta de Jamaica
    molida
2 cucharadas de jugo de limón
1 cucharadita de miel
1 cucharada de aceite de oliva
2 cucharadas de orégano fresco, picado

1 taza de cuscús
500ml de caldo de pollo reducido en sa
400g de garbanzos de lata, enjuagados
    y escurridos
200g de tomates cherry, en mitades
2 tazas de perejil de hoja lisa fresco,
    en trozos grandes
1 taza de pasas
2 naranjas, en gajos

1 Quitar el exceso de grasa y los nervios al lomo de cordero. Poner el ajo, la canela, pimienta de Jamaica, el jugo de limón, la miel, el aceite de oliva y el orégano en un bol, y revolver bien. Verter sobre el cordero, tapar y marinar en el refrigerador durante 4 horas, o toda la noche.
2 Poner el cuscús en un tazón. Dejar que el caldo de pollo suelte el hervor y verter sobre el cuscús. Dejar reposar durante 10 minutos, o hasta que se absorba el líquido.
3 Engrasar ligeramente una parrilla y cocinar el cordero marinado a fuego medio-alt durante 10 minutos, o hasta que esté a término medio. Dejar reposar durante 5 minutos antes de rebanar.
4 Incorporar el cordero, los garbanzos, los tomates, el perejil, las pasas y los gajos de naranja a la ensalada, y servir. **Rinde 4 porciones**

Ensalada de fideos hokkien, champiñones y castañas

Tiempo de preparación 30 minutos + tiempo para reposar **Tiempo de cocción** 5 minut

15g (4 piezas) de champiñones shiitake
125ml de agua hirviendo
400g de fideos hokkien frescos (tallarines)
100g de setas enoki
150g de champiñones oyster
200g de champiñones, en mitades
4 cebollas de cambray,
    finamente rebanadas

2 dientes de ajo, machacados
2 cucharadas de salsa de chile dulce
2 cucharadas de salsa de soya
    reducida en sal
100g de nueces de la India sin sal, tostac
2 cucharadas de semillas de ajonjolí

1 Poner los champiñones shiitake en un tazón, cubrir con el agua hirviendo y dejar reposar durante 25 minutos, o hasta que se suavicen. Escurrir y reservar el líquido. Quitar los tallos a los champiñones y desechar. Cortar las cabezas en rebanadas delgadas.
2 Separar con cuidado los fideos hokkien y poner en un tazón grande. Cubrir con agua hirviendo y dejar reposar durante 2 minutos, escurrir bien.
3 Separar las setas enoki en pequeños puños y cortar las puntas secas. Revolver tod los champiñones con la cebolla de cambray.
4 Poner en una cacerola chica el ajo, la salsa de chile dulce, la salsa de soya y el líquid de los champiñones que se reservó; dejar cocinar a fuego lento durante unos minutos, hasta que se reduzca y espese ligeramente. Verter sobre los champiñones revolver bien.
5 Incorporar en un tazón los fideos, los champiñones aderezados, las nueces de la India y las semillas de ajonjolí; mezclar muy bien. Pasar a platos individuales. **Rinde 4 porciones**

NUTRIENTES por porción

Energía	2403kJ
Energía	574cal
Grasa total	13.0g
Grasa saturada	3.2g
Grasa monoinsaturada	5.7g
Grasa poliinsaturada	2.1g
Proteínas	39.0g
Carbohidratos	76.0g
Fibra	10.0g
Sodio	793mg
Colesterol	82mg

INGREDIENTE PRINCIPAL

Las NUECES DE LA INDIA, al igual que la mayoría de las semillas y otras nueces, contienen predominantemente grasas monoinsaturadas y poliinsaturadas. Son una buena fuente de proteína, vitaminas del grupo B y vitamina E. Almacena las nueces de la India en un frasco de vidrio en el refrigerador para conservarlas frescas.

NUTRIENTES por porción

Energía	1724kJ
Energía	412cal
Grasa total	18.0g
Grasa saturada	2.5g
Grasa monoinsaturada	8.9g
Grasa poliinsaturada	3.3g
Proteínas	17.0g
Carbohidratos	46.0g
Fibra	5.9g
Sodio	578mg
Colesterol	0.67mg

Ensalada de verano de camarones y aguacate

Tiempo de preparación 30 minutos **Tiempo de cocción** 20 minutos

NUTRIENTES por porción

Energía	1115kJ
Energía	266cal
Grasa total	6.0g
Grasa saturada	1.3g
Grasa monoinsaturada	3.0g
Grasa poliinsaturada	0.7g
Proteínas	37g
Carbohidratos	15.3g
Fibra	3.1g
Sodio	644mg
Colesterol	249mg

450g de camote, pelado y en trozos
   chicos
aceite de oliva en espray
1 lechuga grande, rebanada
50g de hojas de rúcula (arúgula), lavadas
50g de brotes de arvejas, lavados
50g de chícharos chinos, cortados
1kg de camarones cocidos, pelados,
   desvenados y con las colas intactas
1 aguacate maduro, grande, picado
pimienta negra troceada, para servir

Aderezo
2 cucharadas de jugo de limón
2 cucharadas de eneldo fresco, picado
2 cucharadas de salsa de tomate
   reducida en sal
2 cucharadas de vinagre de vino de arroz
2 cucharadas de yogur natural reducido
   en grasa

1 Precalentar el horno a 200°C. Poner el camote en un refractario grande, rociar ligeramente con el aceite de oliva y hornear durante 20 minutos, o hasta que se suavice.

2 Poner la lechuga en platos individuales, y después la rúcula y los brotes de arvejas.

3 Cocer al vapor los chícharos chinos hasta que se suavicen, enjuagar bajo el chorro de agua fría y escurrir bien.

4 Acomodar los chícharos chinos y el camote encima de las hojas verdes, luego los camarones y el aguacate picado.

5 Para preparar el aderezo: Poner el jugo de limón, el eneldo, la salsa de tomate, el vinagre de vino de arroz y el yogur en un tazón, y revolver bien. El aderezo debe tener consistencia ligera para servir. Si está muy espeso, agregar 1-2 cucharadas de agua fría.

6 Bañar la ensalada con el aderezo y adornar con unos cuantos brotes de arvejas y pimienta negra. **Rinde 4-6 porciones**

Esta ensalada luce estupenda si se sirve en un platón, si se está ofreciendo en una comida.

INGREDIENTE PRINCIPAL
Los AGUACATES contienen altos niveles de grasas monoinsaturadas, y son una excelente fuente de vitaminas C y E, y ácido fólico. Prueba el aguacate untado en los sándwiches en lugar de mantequilla o margarina.

Ensalada asiática de pollo y limón agrio

Tiempo de preparación 20 minutos Tiempo de cocción 15 minutos

400g (2-3 piezas) de pechuga de pollo
   sin piel
4 hojas de limón agrio, finamente picadas
1 limón, rebanado
100g de vermicelli chino (fideo de arroz)
250g de ejotes, en mitades
1 taza de hojas de cilantro fresco
1 taza de hojas de albahaca tai fresca,
   picadas

4 cebollas de cambray,
   finamente rebanadas
2 cucharadas de chalotes fritos (parecidos
   al ajo, pero con dientes más grandes)

Aderezo
2 cucharadas de salsa de pescado
2 cucharadas de jugo de limón
2 cucharadas de azúcar de palma

1 Poner las pechugas de pollo en una sartén grande y profunda, agregar las hojas de limón y las rebanadas de limón, y cubrir con agua. Dejar que suelte el hervor, bajar flama para que hierva a fuego muy lento y cocer el pollo durante 15 minutos, o hasta que esté suave. Escurrir el pollo y reservar 60ml del líquido. Dejar que el pollo se enfríe ligeramente y deshebrar finamente con los dedos.

2 Mientras el pollo se cuece, poner el vermicelli en un tazón y cubrir con agua hirviendo. Dejar reposar durante 5-10 minutos, o hasta que esté suave y escurrir bien. Cocer los frijoles hasta que estén suaves, y escurrir.

3 Poner el pollo, el vermicelli, el cilantro, las hojas de albahaca, los ejotes, las cebollas de cambray y los chalotes en un tazón, y mezclar.

4 Para preparar el aderezo: Incorporar en un bol el líquido de la cocción que se reservó, la salsa de pescado, el jugo de limón y el azúcar de palma, y revolver bien. Bañar la ensalada y mezclar. **Rinde 4 porciones**

NUTRIENTES por porción

Energía	875kJ
Energía	209cal
Grasa total	3.1g
Grasa saturada	0.7g
Grasa monoinsaturada	1.1g
Grasa poliinsaturada	0.5g
Proteínas	26.0g
Carbohidratos	19.0g
Fibra	3.0g
Sodio	632mg
Colesterol	50mg

TIP

Trata de adoptar la costumbre de incluir dos comidas con pescado (de preferencia pescado con aceite) a la semana. Buenos ejemplos son el salmón, salmonete, caballa y trucha). Todos esos pescados son altos en ácidos grasos omega 3, que son buenos para la salud.

Ensalada tibia de papa y salmón

Tiempo de preparación 30 minutos Tiempo de cocción 45 minutos

600g de filete de salmón
500g de papas cambray, en mitades
aceite de oliva en espray
100g de elotes baby
100g de hojas de espinaca baby, lavadas
   y cortadas a la mitad a lo largo
100g de tomates semideshidratados

Aderezo
4 cucharadas de yogur natural
   reducido en grasa
3 cucharadas de salsa de chile dulce
3 cucharadas de jugo de limón

1 Precalentar el horno a 200°C.

2 Quitarle la piel al filete de salmón y usar las pinzas de cocina para quitarle cualquier espina. Partir el salmón en cubos grandes.

3 Poner las papas en un refractario, ligeramente engrasado con el aceite de oliva, y hornear durante 30 minutos, volteando un par de veces durante la cocción.

4 Agregar los elotes baby y hornear durante 10 minutos, o hasta que las papas y los elotes estén tiernos. Apagar el horno y conservar las verduras calientes. Rociar ligeramente la parrilla con el aceite de oliva y cocinar los cubos de salmón a fuego muy alto durante 3-4 minutos, o hasta que estén tiernos y dorados.

5 Para preparar el aderezo: Incorporar el yogur, la salsa de chile dulce y el jugo de limón en un bol y revolver bien.

6 Poner las papas, los elotitos, la espinaca y el tomate semideshidratado en un tazón y mezclar. Acomodar la ensalada en platos individuales, servir encima los trozos de salmón caliente y bañar con el aderezo. **Rinde 4 porciones**

NUTRIENTES por porción

Energía	633kJ
Energía	151cal
Grasa total	1.3g
Grasa saturada	0.3g
Grasa monoinsaturada	0.3g
Grasa poliinsaturada	0.3g
Proteínas	20.0g
Carbohidratos	28.0g
Fibra	5.0g
Sodio	230mg
Colesterol	70mg

Ensalada de queso ricota y betabel con tostadas de pan pita

| Tiempo de preparación 20 minutos | Tiempo de cocción 30 minutos |

300g de queso ricota reducido
　en grasa, en rebanadas
1/2 cucharadita de pimienta de Cayena
aceite de oliva en espray
2 piezas de pan pita integral, abiertas
　a la mitad y en triángulos
2 betabeles medianos, hervidos
　hasta que estén tiernos
2 peras

1 aguacate
1 manojo de rúcula (arúgula)
4 cucharadas de nueces, tostadas

Aderezo
1 1/2 cucharadas de vinagre de frambue
pimienta negra troceada
2 cucharadas de aceite de oliva
　extra virgen

1　Precalentar el horno a 250°C. Poner el queso ricota en una charola para horno forrada con papel encerado, espolvorear con pimienta de Cayena y rociar ligeramente con aceite de oliva. Hornear durante 20 minutos o hasta que esté bie dorado. Dejar enfriar ligeramente antes de trocear en piezas grandes.

2　Poner los triángulos de pan pita en otra charola, tostar en la parrilla a fuego medi hasta que estén crujientes.

3　Pelar el betabel y cortar en trozos pequeños. Usar guantes para que las manos no se pinten de rosa. Rebanar finamente las peras. Pelar y picar el aguacate.

4　Acomodar la rúcula, el betabel, las peras y el aguacate en platos individuales. Servir encima el queso ricota.

5　Para preparar el aderezo: Incorporar el vinagre, la pimienta y el aceite, y bañar cada plato de ensalada. Espolvorear con nueces picadas en trozos grandes.

6　Servir con totopos de pan pita al lado. **Rinde 4 porciones**

Ensalada de calabaza, lentejas y tofu

| Tiempo de preparación 15 minutos | Tiempo de cocción 45 minutos |

300g de calabaza, en cubos de 2cm
300g de coliflor, en ramilletes
1 taza de lentejas, enjuagadas
1 cucharada de aceite de soya
3 cebollas grandes, rebanadas
1 pimiento rojo, finamente rebanado
300g de tofu firme, picado (queso de soya)

1/2 cucharadita de canela
1/2 cucharadita de pimienta de Jamaica
1 pizca de azafrán
1/4 taza de semillas de girasol
1/2 taza de menta fresca, picada
100g de yogur natural reducido en gras
harissa (pasta de chile), para servir

1　Cocer la calabaza y la coliflor al vapor o en el horno de microondas hasta que es suaves, y escurrir bien.

2　Calentar el aceite en una sartén grande, agregar las cebollas y el pimiento, y cocin a fuego medio durante 20 minutos, o hasta que se caramelicen. Sacar la mitad de cebolla de la sartén y reservar.

3　Añadir el tofu, la canela, la pimienta de Jamaica, el azafrán y las semillas de girasol sartén con 1 cucharada de agua, y cocinar a fuego medio hasta que se absorba to el agua y se dore el tofu.

4　Poner las lentejas, la mezcla de tofu, la calabaza, la coliflor y la menta en un tazón, y revolver con cuidado.

5　Servir la ensalada en platos individuales y encima la cebolla frita, una cucharada de yogur y una cucharada de harissa. **Rinde 4-6 porciones**

NUTRIENTES por porción

Energía	2321kJ
Energía	555cal
Grasa total	34.0g
Grasa saturada	8.4g
Grasa monoinsaturada	16.0g
Grasa poliinsaturada	6.9g
Proteínas	18.0g
Carbohidratos	45.0g
Fibra	12.0g
Sodio	644mg
Colesterol	32mg

TIP

Entre los alimentos altos en fibra están las legumbres, las frutas, las verduras, los panes integrales y los cereales. Consume aproximadamente 30g de fibra al día para que te mantengas saludable.

NUTRIENTES por porción

Energía	969kJ
Energía	231cal
Grasa total	8.8g
Grasa saturada	0.9g
Grasa monoinsaturada	1.2g
Grasa poliinsaturada	4.0g
Proteínas	17.0g
Carbohidratos	20.0g
Fibra	7.6g
Sodio	31mg
Colesterol	0.83mg

Lista del súper para un corazón sano

Cuidar tu corazón no significa buscar ingredientes especiales. Simplemente sugerimos lo que debes consumir, y algunas buenas razones para ello.

Granos y cereales
◆ elige principalmente las variedades integrales
◆ pasta (seca, integral y natural, espagueti, fettuccine, penne, macarrón, lasaña)
◆ fideos (celofán, de arroz, hokkien, udon, de huevo, de soba [trigo sarraceno])
◆ arroz (blanco, integral, de grano largo o corto, Arborio, jazmín, basmati, arroz indio)
◆ granos (cuscús, polenta, sagú, tapioca, trigo sarraceno, trigo molido, cebada, centeno, hojuelas de avena, salvado)
◆ harinas (blanca y natural con mucha fibra, integral, levadura, de arroz, maicena)
◆ cereales altos en fibra

Frutas y verduras
◆ frutas y verduras frescas
◆ las frutas y las verduras enlatadas o embotelladas son muy prácticas. Puedes conseguir corazones de alcachofa, espárragos, brotes de bambú, betabel, zanahorias, granos de elote, pepinillos, champiñones, aceitunas, garbanzos, tomates y castañas de agua, pero evita las verduras conservadas en salmuera o salsa de mantequilla
◆ las frutas secas y conservadas en jugo natural son útiles para postres, smoothies, refrigerios, y para acompañar el cereal del desayuno

Legumbres secas y enlatadas
◆ garbanzos, lentejas, chícharos, frijoles negros, frijol de soya, alubias blancas, frijoles con chile y frijoles horneados, secos, enlatados y empacados al vacío

Nueces y semillas
◆ todas las nueces y semillas, pero elige las nueces sin sal y guárdalas en un recipiente hermético después de abrir.

Pescados y mariscos
◆ pescados o mariscos frescos, cocínalos de inmediato o congélalos en bolsas de plástico selladas y utilízalos en un lapso de tres meses
◆ todos los pescados enlatados son buena fuente de grasas marinas poliinsaturadas omega 3 (por ejemplo salmón, sardinas, arenque, atún), pero el pescado en salmuera es más alto en soc (sal) que el pescado en agua o en aceite
◆ el pescado enlatado en aceite de cártamo es alto en ácidos grasos vegeta omega 3, que ayudan a reducir el riesgo de una enfermedad del corazón

Carne y pollo
◆ la carne roja es particularmente rica hierro, zinc y vitamina B12
◆ la carne blanca y el pollo también contienen esos nutrientes, pero en menores cantidades
◆ elige las variedades magras o sin gras de la carne roja, la carne blanca y el pol

Lácteos
◆ elige productos lácteos bajos o reducidos en grasa como leche baja o reducida en grasa, yogur natural bajo reducido en grasa, yogur con fruta bajo o reducido en grasa, natilla baja o reduc en grasa, queso duro o en rebanadas ba o reducido en grasa, queso cottage, ricc bajo o reducido en grasa, feta reducido grasa y queso crema ligero o reducido en grasa
◆ helado bajo o reducido en grasa, yog congelado y postres congelados con ba de soya, que contienen menos del 5% c grasa

Huevos
◆ los huevos de nuestras recetas pesan 48-50g
◆ hay huevos altos en grasas vegetales poliinsaturadas omega 3

Margarinas para untar
◆ usa margarina para untar en vez de mantequilla
◆ la margarina enriquecida con esterol vegetal es buena para la gente con alto índice de colesterol en la sangre

Caldo líquido
◆ caldos reducidos en grasa, como cub de caldo, caldo en polvo o caldo líquido en prácticos empaques, de larga vida (p ejemplo, caldo de verduras, de res, de pollo o de pescado reducido en sal)

[le]che evaporada reducida en [gr]asa y leche de coco ligera [(li]ght)

[Ú]sala como sustituto de crema y leche [de] coco normal para reducir de manera [con]siderable el contenido de grasa [sat]urada de una receta

[A]ceites

[L]os aceites monoinsaturados y [po]insaturados ayudan a reducir los [nive]les de colesterol en la sangre, [aun]que las grasas poliinsaturadas tienden [a pr]oducir mejores efectos que las [mo]noinsaturadas.

[E]lige aceites poliinsaturados (de [gira]sol, alazor, maíz, soya y uva) y aceites [mo]noinsaturados (de cártamo, oliva, [ma]cadamia, cacahuate y semillas de mostaza)

[Lo]s aceites de cártamo y de soya son [rico]s en ácidos alfalinolénicos

[A]derezos

[U]sa aderezos y mayonesa hechos con [ace]ites de cártamo, de girasol, de soya y [de] oliva

[Sal]sas y condimentos

[S]alsas de tomate (pasta*, puré*, salsa [par]a pastas*, catsup*)

[S]alsa de soya reducida en sal*, de frijol [neg]ro*, hoisin*, de ostión*, de pescado*, [ingl]esa*, barbecue*, de chile dulce, [Tab]asco, de ciruela, de chabacano

[J]ugo de cítricos (limón, lima, naranja)

[V]inagre (blanco, oscuro, de arroz, [bal]sámico)

[V]ino para cocinar (tinto, blanco, mirin, [jere]z)

[C]ondimentos como mostaza, mostaza [ingl]esa, de rábano picante, wasabi, jalea de [men]ta, chutney y relish

[R]ecuerda refrigerar las salsas y los [con]dimentos después de abrirlos

[E]stas salsas son altas en sal, así que [cua]ndo sea posible, elige las variedades [red]ucidas en sal y úsalas en pequeñas [can]tidades (sobre todo si tienes presión [art]erial alta)

[H]erbas y especias

[L]e dan sabor a los alimentos sin [agr]egarles sal: albahaca, pimienta de [cay]ena, chile, canela, cilantro, comino, [cur]ry, ajo, jengibre, limoncillo, menta, nuez [mo]scada, orégano, páprika, perejil, romero, [aza]frán, tomillo y azafrán de las Indias

[L]a lista es infinita, ¡elígelas y úsalas a tu [gus]to!

Cena

Cada una de nuestras cenas está hecha
con ingredientes frescos y nutritivos
que no te quitarán horas valiosas para
su preparación. ¡Hay tantos platillos
deliciosos de donde escoger! No importa
si vas a preparar una cena para la familia
o para deleitar a los buenos amigos,
disfrutarás preparando y compartiendo
estas excelentes recetas.

Rollos de pescado al vapor con vinagreta de tom

Tiempo de preparación 20 minutos + tiempo para refrigerar **Tiempo de cocción** 10 minut

700g (4 filetes) de pescado blanco,
    sin piel y sin espinas
2 cucharadas de aceite de semilla de uva
2 dientes de ajo, machacados
6 cebollas de cambray, picadas
1 taza de pan molido integral
1/2 taza de hojas de albahaca frescas,
    picadas

1 taza de perejil de hoja lisa fresco, picac
1 cucharadita de ralladura de limón
2 cucharadas de jugo de limón
250ml de jugo de tomate
2 cucharadas de vinagre de vino blanco
1 cucharada de azúcar morena

1 Cortar los filetes de pescado a la mitad, a lo largo, siguiendo la línea natural del centr
2 Calentar 1 cucharada de aceite en una sartén grande de teflón, agregar el ajo y las cebollas de cambray, y cocinar a fuego medio durante 3 minutos o hasta que se suavicen las cebollas. Poner en el procesador de alimentos junto con el pan molido la mitad de la albahaca, la mitad del perejil, la ralladura y el jugo de limón. Procesar para revolver.
3 Dividir el relleno en 8 porciones iguales, poner una porción en la punta de cada pescado y enrollar para encerrar el relleno. Asegurar con palillos o con un hilo. Tap y refrigerar durante 30 minutos.
4 Picar finamente el resto de la albahaca y del perejil, y poner en una cacerola con el jugo de tomate, el vinagre y el azúcar morena. Cocinar a fuego lento hasta que est tibio.
5 Poner los rollos de pescado en una vaporera grande de bambú forrada con papel encerado. Tapar y colocar sobre un wok con agua hirviendo, teniendo cuidado de que la base de la vaporera no toque el agua. Cocer al vapor durante 10 minutos, o hasta que el pescado esté suave y el relleno caliente.
6 Servir los rollos de pescado bañados con la vinagreta de tomate y acompañados de ensalada verde crujiente. **Rinde 4 porciones**

Paella

Tiempo de preparación 30 minutos **Tiempo de cocción** 40 minutos

3 cucharadas de aceite de oliva
300g (2-3 filetes) de muslo de pollo,
    sin piel, en tiras gruesas
1 cebolla, picada
1 1/3 tazas de arroz de grano corto
3 jitomates maduros, picados
1 pizca de azafrán
400g de garbanzos enlatados,
    enjuagados y escurridos
150g de ejotes

1 pimiento rojo, rebanado
750ml de caldo de pollo reducido en sa
12 mejillones negros, sin barbas
500g de camarones, pelados,
    desvenados, con las colas intactas
360g (1 tubo) de calamar, en aros
2 cucharadas de perejil de hoja lisa fresc
    picado
rodajas de limón, para servir

1 Calentar el aceite en una sartén grande y honda, o en una paellera; agregar el pollo y cocinar a fuego medio hasta que se dore. Sacar y escurrir en toallas de papel absorbentes.
2 Agregar la cebolla a la cacerola y cocinar a fuego medio hasta que se suavice y se dore. Añadir el arroz, el jitomate y el azafrán, y cocinar hasta que el arroz esté transparente y cocido.
3 Devolver el pollo a la cacerola junto con los garbanzos, los ejotes, el pimiento y el caldo; cocinar destapado durante 15 minutos.
4 Incorporar los mariscos al arroz y continuar cocinando sin dejar de revolver durante 10 minutos, o hasta que los mariscos estén suaves y la base del arroz crujiente.
5 Espolvorear con el perejil y servir con las rodajas de limón. **Rinde 4-6 porciones**

NUTRIENTES por porción

Energía	1519kJ
Energía	363cal
Grasa total	15.0g
Grasa saturada	3.1g
Grasa monoinsaturada	4.1g
Grasa poliinsaturada	7.0g
Proteínas	40.0g
Carbohidratos	16.0g
Fibra	3.0g
Sodio	401mg
Colesterol	122mg

INGREDIENTE PRINCIPAL

El POLLO MAGRO SIN PIEL es un alimento ideal para un sano patrón de alimentación. El pollo y el pavo son excelentes fuentes de proteína, niacina y fósforo.

NUTRIENTES por porción

Energía	2206kJ
Energía	527cal
Grasa total	14.0g
Grasa saturada	2.2g
Grasa monoinsaturada	7.8g
Grasa poliinsaturada	2.1g
Proteínas	48.0g
Carbohidratos	52.0g
Fibra	6.5g
Sodio	668mg
Colesterol	269mg

Filetes de salmón con piel dorada, puré de frijol y salsa de mango

Tiempo de preparación 20 minutos **Tiempo de cocción** 10 minutos

Salsa de mango
- 1 mango grande, picado
- 2 pepinos chicos, rebanados
- 1 cucharada de alcaparras baby, enjuagadas
- 1 chile rojo chico, sin semillas y finamente picado
- 2 cebollas de cambray, rebanadas
- 1 cucharada de jugo de limón
- 1 cucharadita de aceite de oliva
- 1 cucharada de cilantro fresco, picado

Frijoles y salmón
- 2 latas de 400g de alubias blancas, enjuagadas y escurridas
- 200ml de caldo de pollo reducido en sal
- 1 hoja de laurel
- 2 dientes de ajo, machacados
- 4 filetes de salmón de 150g, con piel
- 1 1/2 cucharadas de aceite de cacahuate

1 Para preparar la salsa: Incorporar todos los ingredientes en un tazón y revolver bien.
2 Poner las alubias, el caldo, la hoja de laurel y el ajo en una cacerola, y dejar que suelte el hervor. Bajar la flama y dejar que hierva a fuego lento durante 5 minutos, o hasta que se caliente bien. Sacar la hoja de laurel y desechar; pasar la mezcla al procesador de alimentos o licuadora, y procesar hasta que esté cremosa y homogénea.
3 Secar los filetes de salmón con toallas de papel absorbente. Calentar el aceite en una sartén grande de teflón, y cocinar los filetes a fuego medio-alto durante unos minutos, con la piel hacia abajo, hasta que estén crujientes y dorados. Voltear y cocinar del otro lado durante un par de minutos más, o hasta que se cuezan.
4 Servir los filetes de salmón sobre una cama de puré de alubias y encima servir la salsa de mango. **Rinde 4 porciones**

NUTRIENTES por porción

Energía	931kJ
Energía	222cal
Grasa total	9.8g
Grasa saturada	1.5g
Grasa monoinsaturada	4.0g
Grasa poliinsaturada	2.5g
Proteínas	13.0g
Carbohidratos	24.0g
Fibra	14.0g
Sodio	621mg
Colesterol	105mg

INGREDIENTE PRINCIPAL
Las ALUBIAS BLANCAS contienen una buena cantidad de proteína, fibra y vitaminas del grupo B, así como una variedad de minerales, entre ellos el zinc. Son un delicioso complemento para ensaladas, sopas, guisados y caserolas.

Pollo al curry con arroz jazmín

Tiempo de preparación 15 minutos Tiempo de cocción 30 minutos

TIP

Procura incluir una ensalada grande o una porción de vegetales en cada comida. Échale un vistazo a nuestros capítulos "Ensaladas como plato principal" y "Vegetales y guarniciones" donde encontrarás para algunas magníficas ideas.

TIP

La leche de coco es el líquido que se extrae de la pulpa del coco recién rallada y prensada. Todos los productos de coco, incluida la leche, son altos en grasa saturada, así que es importante que elijas una variedad ligera o reducida en grasa y la uses con moderación.

400ml de leche de coco reducida en grasa
250ml de caldo de pollo reducido en grasa
2-3 cucharadas de pasta de curry verde
3 hojas de limón agrio, finamente picadas
300g de calabaza, pelada y picada
500g (4 filetes) de pechuga de pollo, sin piel, en cubos chicos
230g de brotes de bambú enlatados, escurridos

300g de frijoles pintos, picados
300g de brócoli, en ramilletes
1 cucharada de salsa de pescado
1 cucharada de azúcar de palma
2 cucharadas de hojas de albahaca thai, troceadas

Arroz jazmín
1 1/2 tazas de arroz jazmín
2 tallos de limoncillo, en mitades

1 Poner la leche de coco, el caldo de pollo, la pasta de curry verde y las hojas de lim agrio en un wok o en una cacerola grande, y dejar que suelte el hervor. Cocinar a fuego alto hasta que la salsa empiece a espesar ligeramente. Añadir la calabaza y hervir a fuego lento durante 10 minutos, o hasta que se empiece a suavizar.
2 Incorporar las pechugas de pollo y los brotes de bambú; bajar la flama y cocinar a fuego lento durante 10 minutos, o hasta que el pollo esté suave. Agregar los frijole pintos, el brócoli, la salsa de pescado y el azúcar de palma; cocinar destapado hasta que las verduras se suavicen.
3 Quitar de la estufa y añadir la mitad de las hojas de albahaca.
4 Para preparar el arroz jazmín: Poner el arroz, el limoncillo y 4 tazas de agua en una cacerola, dejar que suelte el hervor y cocinar a fuego alto hasta que se hagan hoyc en el arroz a causa del vapor. Bajar la flama, tapar y cocinar a fuego bajo durante 1 minutos, o hasta que se haya absorbido todo el líquido y el arroz esté suave. Servi en tazones para arroz, agregar el curry y espolvorear con el resto de las hojas de albahaca. **Rinde 4 porciones**

Cerdo al romero con lentejas y manzanas

Tiempo de preparación 20 minutos Tiempo de cocción 25 minutos

500g de filete de cerdo
12 ramitos de romero
aceite de cártamo en espray
2 manzanas verdes, peladas, descorazonadas, en gajos de 2cm de espesor
2 cucharadas de vinagre de vino tinto

250ml de caldo de pollo o de verduras reducido en sal
1 cucharada de pasta de cártamo, fundida
1/4 cucharadita de clavos molidos
1 taza de lentejas rojas
1 hoja de laurel

1 Precalentar el horno a 200°C. Quitar el exceso de grasa y de nervios al filete de cerdo. Cortar la carne en 12 rebanadas del mismo tamaño y clavar una rama de romero en el centro de cada una.
2 Rociar ligeramente una sartén de teflón con el aceite en espray; calentar a fuego medio alto, y cocinar el cerdo por tandas durante un par de minutos hasta que se dore parejo. Pasar a una charola para hornear.
3 Poner las manzanas en la sartén y cocinar hasta que se doren. Pasar a la charola pa hornear. Agregar el vinagre y el caldo a la cacerola, raspando el fondo para soltar l jugos que se hayan quedado pegados. Bañar el cerdo y las manzanas. Barnizar la manzana con la pasta de cártamo fundida y espolvorear con los clavos molidos. Hornear durante 10 minutos, o hasta que el cerdo esté suave. Dejar reposar.
4 Mientras se cocina la carne de cerdo, poner las lentejas y la hoja de laurel en una cacerola chica, cubrir apenas con agua y dejar que suelte el hervor. Cocinar a fuego alto durante 15 minutos o hasta que se suavicen, escurrir y sacar la hoja de laurel.
5 Servir las lentejas con la manzana, el cerdo y los jugos de la cocción. Acompañar c verduras verdes al vapor. **Rinde 4 porciones**

Costillar de cordero
con puré de haba y chícharo

Tiempo de preparación 40 minutos Tiempo de cocción 45 minutos

TIP

No hace mucho tiempo, el cordero se consideraba pasado de moda y grasoso, pero las nuevas técnicas de crianza están produciendo variedades con menos grasa. El corte más magro de cordero es el lomo. De preferencia consume chuletas de lomo de cordero recomendadas por las asociaciones para el cuidado del corazón.

750g (4 costillares de 4 chuletas)
de cordero
2 dientes de ajo, rebanados
2 ramas de romero fresco, troceadas
1/2 taza de mermelada de menta
2 cucharadas de mostaza integral
2 cucharadas de vinagre balsámico

Puré de haba y chícharo
500g de habas frescas o congeladas,
descongeladas y peladas
1 taza de chícharos
125ml de caldo de pollo reducido en s

1 Precalentar el horno a 200°C. Cortar el exceso de grasa del costillar y desprend
del hueso con un cuchillo filoso chico. Cortar pequeñas hendiduras y meter las
rebanadas de ajo y las ramas de romero troceadas en cada hueco.

2 Poner la mermelada de menta, la mostaza y el vinagre balsámico en una cacerola
chica y dejar que suelte el hervor. Barnizar el costillar con el glaseado y poner
en una charola para horno.

3 Asar el costillar durante 35-40 minutos, para un término medio. Dejar reposar
durante 5 minutos antes de separar las chuletas.

4 Para preparar el puré de haba y chícharo: Mientras el cordero se asa, colocar las
habas, los chícharos y el caldo en una cacerola; dejar que suelte el hervor, bajar
la flama y cocinar a fuego lento hasta que se suavicen las habas y se haya absorbi
la mayor parte del líquido. Hacer puré hasta que la mezcla quede homogénea, o
poner en el procesador de alimentos y procesar hasta que quede un puré suave.

5 Servir las chuletas en una cama de puré de haba, bañar con el glaseado tibio
y acompañar con papas cambray al vapor o asadas. **Rinde 4 porciones**

El puré pierde color si se deja reposar, así que no lo prepares con mucha anticipació

INGREDIENTE PRINCIPAL

Las HABAS pueden comerse frescas o secas. Las habas frescas son una buena fuente de fibra y hierro, así como de riboflavinas y niacina (ambas vitaminas B). Las habas cocidas tienen una textura exquisita y cremosa, y muchísimo sabor.

Espagueti picante con camarones y ostiones

Tiempo de preparación 15 minutos Tiempo de cocción 20 minutos

500g de camarones
250g de ostiones sin coral
350g de espagueti tubular
30g de aceite de oliva para untar
  (o aceite de oliva líquido)
2 cucharaditas de aceite de oliva
2 dientes de ajo, machacados
3 cebollas de cambray, rebanadas

1 chile rojo chico, finamente picado
125ml de vino blanco seco
2 jitomates maduros grandes,
  sin semillas y finamente picados
1 cucharadita de ralladura de limón
1 cucharadita de ralladura de naranja
1 cucharadita de azúcar blanca
1 cucharada de cebollín fresco, picado

1 Pelar y desvenar los camarones, dejando las colas intactas. Secar los ostiones con una toalla de papel absorbente.
2 Cocer el espagueti en una cacerola grande con agua hirviendo hasta que esté al dente (cocido, pero firme en el centro). Escurrir, tapar y conservar caliente.
3 Calentar el aceite de oliva para untar y el aceite de oliva en una sartén grande y profunda; cocinar los camarones y los ostiones por tandas a fuego alto, hasta que estén suaves. Sacar y conservar calientes.
4 Agregar el ajo, la cebolla y el chile a la sartén y cocinar a fuego medio hasta que se suavice la cebolla. Incorporar el vino, revolver para soltar los jugos que se hayan quedado pegados al fondo de la sartén. Hervir hasta que se reduzca a la mitad.
5 Añadir los jitomates, las ralladuras, el azúcar y el cebollín a la sartén, y cocinar hasta que el jitomate se caliente bien.
6 Agregar los camarones, los ostiones y el espagueti; revolver. Servir con pan.
Rinde 4 porciones

Canguro en cama de puré y glaseado de arándano

Tiempo de preparación 20 minutos Tiempo de cocción 30 minutos

500g de filete de canguro
1 cucharada de pimienta negra
  finamente troceada
aceite de cártamo en espray
250ml de vino tinto
1/2 taza de arándanos secos
3 cucharadas de mermelada de arándano
2 cucharadas de vinagre balsámico
50g de berros

Puré de papa

500g de papas para puré
2 dientes de ajo, machacados
60ml leche evaporada reducida en grasa
2 cucharaditas de aceite de oliva
  extra virgen
coles de Bruselas para acompañar

1 Precalentar el horno a 200°C. Quitar el exceso de grasa o los nervios al filete de canguro. Revolcar el filete en pimienta, y oprimir con firmeza para que se cubra parejo.
2 Rociar una sartén de teflón grande con el aceite de cártamo y calentar a fuego alto. Agregar el canguro y dorar muy bien. Pasar a una charola para hornear y asar durante 20 minutos.
3 Incorporar el vino tinto a la charola, revolver para soltar los jugos que se hayan quedado pegados en el fondo. Hervir hasta que se reduzca a la mitad. Añadir el arándano, la mermelada de arándano y el vinagre balsámico, y cocinar a fuego lento durante 10 minutos, o hasta que la salsa espese lo suficiente para cubrir el dorso de una cucharada.
4 Para preparar el puré de papa: Cocer las papas peladas en agua hasta que se suavicen, escurrir y regresar a la cacerola con el ajo, la leche y el aceite. Cocinar a fuego bajo hasta que se calienten, sacar y machacar.
5 Servir el filete de canguro rebanado sobre la cama de puré de papa bañado con glaseado de arándano y berros. Acompañar con coles de Bruselas.
Rinde 4 porciones

NUTRIENTES por porción

Energía	1944kJ
Energía	465cal
Grasa total	3.5g
Grasa saturada	0.6g
Grasa monoinsaturada	0.5g
Grasa poliinsaturada	1.4g
Proteínas	43.0g
Carbohidratos	64.0g
Fibra	5.0g
Sodio	545mg
Colesterol	207mg

TIP

No temas probar la carne de animales de caza, el canguro, el venado y la liebre son ricos en proteínas y bajos en grasa saturada. El canguro es especialmente rico en hierro, y su fuerte sabor combina muy bien con salsas y glaseados de frutas.

NUTRIENTES por porción

Energía	725kJ
Energía	173cal
Grasa total	3.0g
Grasa saturada	0.6g
Grasa monoinsaturada	1.8g
Grasa poliinsaturada	0.3g
Proteínas	5.3g
Carbohidratos	20.0g
Fibra	3.2g
Sodio	66mg
Colesterol	59mg

Curry de verduras y garbanzos con arroz y semillas de amapola

Tiempo de preparación 30 minutos Tiempo de cocción 25 minutos

NUTRIENTES por porción

Energía	2017kJ
Energía	482cal
Grasa total	12.0g
Grasa saturada	1.7g
Grasa monoinsaturada	2.5g
Grasa poliinsaturada	6.7g
Proteínas	12.0g
Carbohidratos	80.0g
Fibra	9.9g
Sodio	314mg
Colesterol	0mg

2 cucharadas de aceite de soya
1 cebolla española, finamente rebanada
1 cucharada de jengibre fresco, rallado
3 dientes de ajo, machacados
3 chiles grandes verdes, finamente picados
$^{1}/_{2}$ cucharadita de azafrán de las Indias molido
2 cucharaditas de cilantro molido
2 cucharaditas de garam masala
2 papas, picadas
2 zanahorias, en rebanadas gruesas
2 calabacitas, en rebanadas gruesas
425g de tomates enlatados, picados

250ml de caldo de verduras reducido en sal
400g de garbanzos de lata, enjuagados y escurridos
200g de hojas de espinaca baby, lavadas
1 taza de chícharos frescos o congelado

Arroz y semillas de amapola
1 $^{1}/_{2}$ tazas de arroz basmati
2 cucharadas de semillas de amapola
poppadoms de microondas para acompañar (pan parecido a las tostadas)

1 Calentar el aceite en una cacerola grande, agregar la cebolla y el jengibre; calentar fuego medio durante 5 minutos, o hasta que se suavicen. Añadir el ajo, los chiles la especias, y cocinar durante 2 minutos, o hasta que suelte el aroma.

2 Agregar las papas y las zanahorias, y cocinar hasta que las verduras se cubran con especias. Incorporar las calabacitas, los tomates y el caldo, y dejar hervir a fuego lento. Bajar la flama y cocinar destapado durante 15 minutos, o hasta que las verduras estén suaves y el curry espese ligeramente. Añadir los garbanzos y revol

3 Agregar las espinacas y los chícharos; cocinar hasta que las espinacas se marchite y los chícharos se suavicen.

4 Para preparar el arroz con semillas de amapola: Poner el arroz y las semillas de amapola en una cacerola, agregar 450ml de agua y dejar que suelte el hervor. Cocinar a fuego alto hasta que aparezcan huecos en el arroz. Bajar la flama, tapar dejar cocer al vapor durante 10 minutos, o hasta que el arroz esté tierno y se hay absorbido el líquido.

5 Servir el curry sobre el arroz y acompañar con poppadoms de microondas.
Rinde 4 porciones

INGREDIENTE PRINCIPAL
Los GARBANZOS tienen sabor a nuez y una agradable textura gruesa. Los garbanzos secos deben remojarse antes de cocinar, pero los precocidos se consiguen en todas partes enlatados o en empaques al alto vacío. Son una estupenda fuente de fibra, así como de vitaminas del grupo B y fotoestrógenos.

Piernas de cordero con cuscús

NUTRIENTES por porción

Energía	1794kJ
Energía	430cal
Grasa total	5.3g
Grasa saturada	2.3g
Grasa monoinsaturada	1.6g
Grasa poliinsaturada	0.5g
Proteínas	37.0g
Carbohidratos	47.0g
Fibra	6.4g
Sodio	165mg
Colesterol	95mg

Tiempo de preparación 20 minutos **Tiempo de cocción** 1 hora 40 minutos

4 piernas de cordero afrancesadas (pídele al carnicero que lo haga)*
400g de tomates de lata
250ml de vino tinto
1 hoja de laurel
6 ramitas de tomillo fresco
1 rama de canela
250g de calabaza, en piezas grandes
2 calabacitas, en piezas grandes
8 chabacanos secos
8 ciruelas secas
1 taza de cuscús
2 cucharadas de almendras fileteadas, tostadas

* N. de la T. El término afrancesado se refiere a cortar la carne (sobre todo las chuletas del extremo del hueso

1 Precalentar el horno a 160°C. Calentar una sartén grande a fuego alto; hornear las piernas de cordero en tandas, hasta que se doren muy bien. Pasar a un refractario grande.
2 Añadir los tomates, el vino tinto, la hoja de laurel, el tomillo y la rama de canela. Tapar y hornear durante 1 hora. Agregar la calabaza, las calabacitas, los chabacanos y las ciruelas. Destapar y cocinar durante 30 minutos más o hasta que las verduras se suavicen y el cordero empiece a separarse del hueso.
3 Poner el cuscús en un tazón grande, verter 500ml de agua hirviendo y dejar reposar durante 10 minutos, o hasta que se absorba el líquido.
4 Servir las piernas en platones hondos sobre una cama de cuscús y adornar con las almendras fileteadas. **Rinde 4 porciones**

Fettuccine con salmón ahumado, espárragos y limón

NUTRIENTES por porción

Energía	2104kJ
Energía	503cal
Grasa total	16.0g
Grasa saturada	1.9g
Grasa monoinsaturada	7.7g
Grasa poliinsaturada	5.2g
Proteínas	24.0g
Carbohidratos	64.0g
Fibra	6.8g
Sodio	870mg
Colesterol	24mg

Tiempo de preparación 15 minutos **Tiempo de cocción** 20 minutos

500g de fettuccine
2 cucharadas de aceite de oliva extra virgen
1 pizca de azafrán
2 dientes de ajo, machacados
1 cucharadita de ralladura de limón
80ml de jugo de limón
1 cucharada de azúcar
250ml de caldo de pollo reducido en sal
300g de espárragos
4 cebollas de cambray, rebanadas
100g de tomates semideshidratados
300g de salmón ahumado o trucha de mar ahumada, en trozos grandes
200g de hojas de espinaca baby, lavadas
50g de piñones, tostados
1/4 taza de eneldo fresco, picado
pimienta negra troceada al gusto

1 Cocer el fettuccine en una cacerola grande con agua hirviendo hasta que esté al dente (cocida, pero firme en el centro), y escurrir bien.
2 Poner el aceite de oliva, el azafrán, el ajo, la ralladura y el jugo de limón, el azúcar y el caldo en un bol, y revolver.
3 Cortar los espárragos en piezas de 4cm, y cocinar a fuego lento en la mezcla de aceite de oliva hasta que estén brillantes y suaves. Añadir la cebolla de cambray, los tomates y el fettuccine; revolver para que se caliente bien. Quitar de la estufa y mezclar con el salmón o la trucha ahumados, las espinacas, los piñones y el eneldo Sazonar con la pimienta negra y servir inmediatamente. **Rinde 6 porciones**

Ternera con limón, salvia crujiente y polenta

Tiempo de preparación 15 minutos **Tiempo de cocción** 15 minutos

500ml de caldo de pollo reducido en sal
1 taza de polenta instantánea
4 bisteces grandes de ternera
   (rebanadas delgadas, sin hueso)
harina blanca
2 cucharaditas de aceite de oliva
20g de aceite de oliva untable
   (o aceite de oliva líquido)
80ml de vino blanco seco
ralladura de 1 limón

3 cucharadas de jugo de limón
1 taza de habas congeladas,
   descongeladas y peladas
1 cucharada de alcaparras baby
12 hojas de salvia fresca
aceite de oliva en espray
1 cucharada de vinagre balsámico
2 jitomates, en rebanadas gruesas
pimienta negra troceada, al gusto

1 Dejar que el caldo de pollo suelte el hervor en una cacerola mediana. Poco a poco agregar la polenta y cocinar a fuego medio durante 8 minutos o hasta que la polenta empiece a despegarse de los lados de la cacerola. Tapar y conservar tibia.

2 Enharinar los bisteces de ternera, sacudiendo el exceso. Calentar el aceite de oliva en una sartén grande y profunda; agregar los bisteces y freír a fuego medio hasta que se doren bien por ambos lados. Sacar y conservar calientes.

3 Incorporar el vino a la sartén y dejar que suelte el hervor, revolviendo para soltar los jugos que se hayan quedado pegados en el fondo. Cocinar hasta que se reduzca la mitad. Agregar la ralladura de limón, el jugo y las habas, y cocinar hasta que la salsa se reduzca y espese ligeramente. Devolver la carne a la sartén y calentar. Añadir la alcaparras.

4 Rociar ligeramente las hojas de salvia con aceite de oliva, cocinar a la parrilla hasta que se doren y ponerlas encima de la carne.

5 Bañar los jitomates con el vinagre y sazonar con pimienta. Servir la carne sobre una cama de polenta acompañada con los jitomates. **Rinde 4 porciones**

INGREDIENTE PRINCIPAL

La POLENTA es italiana y se hace con maíz seco machacado. Su color varía del blanco al amarillo intenso, y su textura de muy fina a muy gruesa. Se vende en supermercados y tiendas de alimentos saludables. La polenta es buena fuente de carbohidratos, fibra, tiamina y hierro, y es una fuente moderada de proteína y niacina.

NUTRIENTES por porción

Energía	1500kJ
Energía	358cal
Grasa total	8.2g
Grasa saturada	3.2g
Grasa monoinsaturada	2.0g
Grasa poliinsaturada	1.7g
Proteínas	37.0g
Carbohidratos	33.0g
Fibra	4.3g
Sodio	391mg
Colesterol	77mg

TIP
Los cipollottos y las cebollas de conserva no son iguales. Los cipollottos son una variedad de cebolla de cambray, que se plantan muy juntas y se cosechan antes de tiempo para que sean pequeñas. Las cebollas de conserva son las cebollas de cambray muy chicas que se conservan en vinagre y especias.

NUTRIENTES por porción

Energía	1958kJ
Energía	468cal
Grasa total	12.0g
Grasa saturada	3.0g
Grasa monoinsaturada	2.6g
Grasa poliinsaturada	4.9g
Proteínas	39.0g
Carbohidratos	51.0g
Fibra	8.4g
Sodio	997mg
Colesterol	89mg

TIP
La popularidad que la cocina thai tiene en el mundo hace que sea fácil conseguir ingredientes frescos como el limoncillo y las hojas de limón agrio en la mayoría de los supermercados, tiendas de productos asiáticos y tiendas de abarrotes.

Bisteces de pavo con cebollas balsámicas y puré de camote

Tiempo de preparación 40 minutos **Tiempo de cocción** 40 minutos

8 cipollotos (ver tip), o cebollas de cambray en mitades con la raíz intacta
3 cucharadas de vinagre balsámico
1 cucharada de azúcar morena
600g (4 bisteces) de muslo de pavo
aceite de cártamo en espray
750g de camote naranja, pelado y picado
3 cucharadas de eneldo fresco, picado
1 1/2 cucharadas de crema agria reducida en grasa

1 Poner las cebollas de cambray, el vinagre, el azúcar morena y 3 cucharadas de agua en una sartén. Revolver a fuego lento hasta que se disuelva el azúcar; cocinar, revolviendo de vez en cuando, durante 20 minutos, o hasta que se suavicen las cebollas y se caramelicen.
2 Quitar el exceso de grasa y los nervios a la carne. Rociar una sartén de teflón grande con el aceite de cártamo, y calentar a fuego alto. Cocinar la carne a fuego medio-alto durante 5 minutos, o hasta que esté suave, volteando una vez.
3 Cocer el camote en una cacerola con agua hirviendo hasta que se suavice, escurrir devolver a la cacerola. Agregar el eneldo y la crema agria y hacer puré hasta que la mezcla esté cremosa y homogénea.
4 Colocar una cama de puré en cada plato, servir la carne encima y las cebollas balsámicas. **Rinde 4 porciones**

Hamburguesas de pescado thai

Tiempo de preparación 15 minutos **Tiempo de cocción** 20 minutos

500g de filete de cabracho
2-3 cucharadas de curry rojo en pasta
100g de ejotes, finamente rebanados
4 hojas de limón agrio, finamente picadas
8 hojas de albahaca thai, finamente picadas
1 cucharada de aceite de soya
4 bollos integrales, en mitades
100g de berros, lavados
1 pepino, muy finamente rebanado
1 zanahoria, muy finamente rebanada

Aderezo
1 cucharada de salsa de chile dulce
1 cucharada de jugo de limón
1/3 taza de yogur natural reducido en grasa

1 Poner el pescado picado en trozos gruesos en el procesador de alimentos, agregar el curry en pasta y procesar hasta que la mezcla esté homogénea. Pasar la pasta de pescado a un tazón y agregar los ejotes, las hojas de limón agrio y la albahaca; revolver muy bien. Hacer cuatro hamburguesas ligeramente aplanadas.
2 Calentar el aceite en una sartén grande, agregar las hamburguesas y cocinar a fuego medio durante 15 minutos, volteando una vez, o hasta que estén bien cocidas.
3 Tostar los bollos y poner berros, pepinos y zanahoria en cada base. Colocar encima una hamburguesa de pescado.
4 Para preparar el aderezo: Poner la salsa de chile dulce, el jugo de limón y el yogur un tazón, y revolver batiendo con un tenedor.
5 Servir el aderezo en las hamburguesas y tapar con los bollos tostados. **Rinde 4 porciones**

Filete de cerdo, fideos y chícharos

| Tiempo de preparación 10 minutos **Tiempo de cocción** 15 minutos |

NUTRIENTES por porción

Energía	1047kJ
Energía	250cal
Grasa total	7.0g
Grasa saturada	0.9g
Grasa monoinsaturada	1.3g
Grasa poliinsaturada	3.6g
Proteínas	29.0g
Carbohidratos	18.0g
Fibra	7.7g
Sodio	559mg
Colesterol	43mg

TIP

Los fideos gruesos y secos de arroz son fideos parecidos al fettuccine que se usan en este tipo de guisados, sopas y ensaladas. Vienen empaquetados, y deben remojarse en agua tibia y escurrirse antes de usarse.

125g de fideos de arroz secos, gruesos
1 cucharada de aceite de soya
350g de filete de cerdo, finamente rebanado
4 cebollas de cambray, rebanadas
1 pimiento rojo, finamente rebanado
200g de chícharos chinos, despuntados
300g de espárragos, en piezas de 4cm
1 manojo de choy sum[*], en trozos grandes
3 cucharadas de salsa de soya reducida en sal
3 cucharadas de mirin
1 cucharada de azúcar

[*] N. de la T. El choy sum es uno de los vegetales más populares de Hong Kong y el sur de China. Se utiliza en guisados y sopas de la cocina cantonesa.

1 Poner los fideos en un tazón grande, cubrir con agua hirviendo y dejar reposar durante 10 minutos, o hasta que se suavicen. Escurrir bien.
2 Calentar el aceite en un wok, agregar las rebanadas del filete de cerdo y saltear a fuego alto hasta que se doren, se suavicen y se cuezan bien. Sacar y reservar.
3 Poner las cebollas de cambray y el pimiento en el wok con 2 cucharadas de agua, y cocinar hasta que se suavice el pimiento.
4 Agregar el resto de las verduras al wok y saltear hasta que estén suaves y de color verde intenso.
5 Devolver el cerdo al wok junto con los fideos. Incorporar la salsa de soya revuelt con el mirin y el azúcar; cocinar hasta que la salsa espese ligeramente.
Rinde 4 porciones

INGREDIENTE PRINCIPAL

Los cortes del CERDO ahora son muy magros gracias a las nuevas técnicas de crianza. La carne de cerdo magra tiene ligeramente menos grasa que el pollo sin piel, el cordero magro o la res magra. Las costillas, el tocino, el salami y las salchichas de cerdo son significativamente más altas en grasas totales y saturadas.

Res con papas y salsa de pimienta verde

Tiempo de preparación 15 minutos Tiempo de cocción 15 minutos

12 papas criollas chicas, lavadas
4 cortes New York o bisteces
　de sirloin
2 cucharaditas de aceite de girasol
250ml de vino blanco

125g de granos de pimienta verde
　enlatados, escurridos y ligeramente
　machacados
1/3 taza de crema agria reducida en gras
12 cebollines, picados en trozos grandes

1　Cocer las papas al vapor o en el horno de microondas hasta que estén tiernas;
　cortar en rebanadas gruesas y conservar calientes.
2　Mientras se cuecen las papas, quitar el exceso de grasa o los nervios a la carne.
　Calentar el aceite en una sartén grande, agregar la carne y freír a fuego medio-alto
　hasta que se cuezan al gusto, volteando una vez. Sacar y conservar calientes.
3　Incorporar el vino blanco y los granos de pimienta a la sartén, dejar hervir a fuego
　alto hasta que se reduzca a la mitad, raspando el fondo de la sartén para soltar
　los jugos que se hayan quedado pegados.
4　Añadir la crema agria y cocinar a fuego lento hasta que la salsa espese lo suficiente
　para cubrir el dorso de una cuchara.
5　Servir la carne sobre una cama de papas y bañar con la salsa de pimienta,
　espolvorear con cebollín. **Rinde 4 porciones**

NUTRIENTES por porción

Energía	1914kJ
Energía	457cal
Grasa total	17.0g
Grasa saturada	7.3g
Grasa monoinsaturada	5.7g
Grasa poliinsaturada	2.5g
Proteínas	41.0g
Carbohidratos	24.0g
Fibra	2.7g
Sodio	136mg
Colesterol	99mg

TIP

Elige carne roja magra y
evita los cortes con muchas
bolitas cremosas porque son
muy altos en grasa saturada.
Quita toda la grasa visible
de los cortes de carne y
permite que repose después
de cocer, eso ayuda a
conservar todos los jugos.

Pay de pasta filo con acelgas y tomate picant

Tiempo de preparación 30 minutos + tiempo para reposar Tiempo de cocción 50 minu

aceite de oliva en espray
100g de trigo molido o trigo partido
1kg de acelgas, picadas
2 dientes de ajo, machacados
6 cebollas de cambray, picadas
2 cucharadas de eneldo fresco, picado
1/2 taza de perejil de hoja lisa fresco,
　picado
3 cucharadas de alcaparras,
　escurridas y picadas

200g de queso ricota reducido en gras
250g de queso feta reducido en grasa
1 pizca de nuez moscada
2 huevos ligeramente batidos
187g (1/2 paquete) de pasta filo
1/2 taza de chutney (conserva agridulce
　de tomate picante
ensalada griega y gajos de limón,
　para acompañar

NUTRIENTES por porción

Energía	825kJ
Energía	197cal
Grasa total	8.6g
Grasa saturada	4.8g
Grasa monoinsaturada	2.5g
Grasa poliinsaturada	0.5g
Proteínas	16.0g
Carbohidratos	14.0g
Fibra	6.0g
Sodio	703mg
Colesterol	74mg

1　Precalentar el horno a 200°C. Rociar ligeramente con el aceite de oliva un molde
　rosca de 20cm.
2　Poner el trigo molido en un tazón, cubrir con 250ml de agua hirviendo y dejar
　reposar durante 10 minutos, o hasta que se haya absorbido el líquido.
3　Cocer las acelgas al vapor hasta que se marchiten, escurrir bien y exprimir el exce
　de humedad. Picar en trozos grandes y poner en un tazón con el ajo, las cebollas c
　cambray, las hierbas, las alcaparras, los quesos, la nuez moscada y los huevos; revol
　bien. Añadir el trigo molido.
4　Rociar ligeramente las ocho hojas de pasta filo con el aceite de oliva y forrar la ba
　de un molde de rosca con la pasta. Servir el relleno en el molde forrado con la pa
　y tapar el relleno con más pasta.
5　Rociar otras cuatro hojas de pasta filo con el aceite y cortar en tiras delgadas,
　arrugar la pasta y colocar encima del pay. Hornear durante 45 minutos o hasta qu
　la pasta esté crujiente y dorada, y el relleno cuaje.
6　Servir rebanadas de pay acompañadas de chutney de tomate. **Rinde 6-8 porcion**

Rigatoni con calabaza y tofu de jengibre

Tiempo de preparación 25 minutos Tiempo de cocción 25 minutos

300g de tofu firme (queso de soya)
1 cucharada de jengibre fresco, rallado
$^1/_2$ cucharadita de aceite de ajonjolí
2 cucharadas de salsa de soya
  reducida en sal
1 cucharadita de azúcar morena
1 cucharada de aceite de soya
1 poro, lavado y finamente rebanado
500g de calabaza, pelada y picada

1 rama de canela
250ml de caldo de verduras
  reducido en sal
pimienta negra troceada al gusto
$^1/_4$ taza de cilantro fresco, picado
500g de rigatoni (tubos grandes
  de pasta seca)
2 cucharadas de piñones, tostados
hojas de cilantro fresco, para adornar

1 Partir el tofu en rebanadas gruesas y poner en un recipiente poco profundo. Incorporar el jengibre con el aceite de ajonjolí, la soya y el azúcar, y revolver con un tenedor hasta que se disuelva el azúcar. Bañar el tofu y dejar marinar mientras se prepara el resto de los ingredientes.

2 Calentar el aceite de soya en una cacerola mediana, agregar el poro y cocinar a fuego medio hasta que se suavice y se dore. Añadir la calabaza y la rama de canela y cocinar hasta que se suavice la calabaza.

3 Incorporar el caldo, dejar que suelte el hervor, tapar y dejar cocinar a fuego lento hasta que la calabaza esté completamente cocida. Pasar a la licuadora y licuar hasta que la mezcla esté homogénea. Sazonar con la pimienta troceada y revolver con el cilantro.

4 Cocer el rigatoni en una cacerola con agua hirviendo hasta que esté al dente (cocida, pero firme en el centro), escurrir y conservar caliente.

5 Escurrir el tofu y cocinar en una sartén de teflón a fuego medio hasta que se dore por ambos lados. Bañar la pasta con el puré de calabaza. Servir encima el tofu caramelizado, los piñones y los ramitos de cilantro. **Rinde 4-6 porciones**

NUTRIENTES por porción

Energía	1784kJ
Energía	424cal
Grasa total	10.6g
Grasa saturada	1.2g
Grasa monoinsaturada	2.0g
Grasa poliinsaturada	4.5g
Proteínas	16.0g
Carbohidratos	48.0g
Fibra	5.9g
Sodio	356mg
Colesterol	0mg

INGREDIENTE PRINCIPAL

El TOFU se hace con soya. Es bajo en grasa y una excelente fuente de proteína. Todos los productos de soya contienen fotoestrógenos y proteína de soya, que protegen de las enfermedades del corazón si se emplean en una dieta baja en grasas saturadas y colesterol.

NUTRIENTES por porción

Energía	1958kJ
Energía	468cal
Grasa total	16.0g
Grasa saturada	4.0g
Grasa monoinsaturada	5.7g
Grasa poliinsaturada	4.5g
Proteínas	33.0g
Carbohidratos	46.0g
Fibra	4.0g
Sodio	297mg
Colesterol	111mg

NUTRIENTES por porción

Energía	1505kJ
Energía	360cal
Grasa total	21.2g
Grasa saturada	2.9g
Grasa monoinsaturada	10.3g
Grasa poliinsaturada	6.6g
Proteínas	10.3g
Carbohidratos	32.0g
Fibra	4.6g
Sodio	145mg
Colesterol	5mg

Pastitsio (pasta al horno con salsa de carne)

Tiempo de preparación 20 minutos Tiempo de cocción 1 hora 30 minutos

aceite de oliva en espray
2 cucharaditas de aceite de oliva
1 cebolla, picada
2 dientes de ajo, machacados
200g de champiñones, rebanados
750g de carne de res molida magra
400g de tomates enlatados, picados
2 cucharadas de puré de tomate
   reducido en sal
125ml de vino tinto
125ml de caldo de res reducido en sal
2 cucharadas de perejil de hoja lisa, picado

1 cucharadita de azúcar
350g de ziti (pasta seca, larga,
   gruesa y hueca) o penne rigate
1 huevo, ligeramente batido
1 clara de huevo, ligeramente batida
1 pizca de nuez moscada

Salsa blanca
1/3 taza de margarina poliinsaturada
1/2 taza de harina blanca
750ml de leche baja o reducida en grasa
1 huevo, ligeramente batido

1 Precalentar el horno a 180°C. Rociar un refractario de 35 x 25cm con el aceite.
2 Calentar el aceite en una sartén grande, agregar la cebolla y el ajo; cocinar a fuego medio durante 3 minutos, o hasta que la cebolla se suavice y se dore. Agregar los champiñones y cocinar durante 5 minutos, o hasta que se doren y se suavicen. Añadir la carne molida y cocinar hasta que se dore, rompiendo los trozos grandes que se forman.
3 Incorporar los tomates, el puré de tomate, el vino tinto, el caldo y el perejil, y deja que suelte el hervor. Bajar la flama, tapar y cocinar a fuego lento durante 20 minutos. Agregar el azúcar.
4 Cocer la pasta en una cacerola grande con agua hirviendo hasta que esté al dente (cocida, pero firme en el centro), escurrir bien y poner en la base del refractario preparado. Verter el huevo revuelto con la clara y la nuez moscada.
5 Para preparar la salsa blanca: Fundir la margarina en una cacerola chica, agregar la harina y cocinar durante 1 minuto, o hasta que dore. Quitar de la estufa e incorporar la leche. Revolver hasta que la mezcla esté homogénea, devolver a la estufa y seguir revolviendo hasta que la salsa hierva y espese. Dejar cocinar a fuego lento durante 3 minutos. Quitar de la estufa y dejar enfriar antes de incorporar el huevo.
6 Añadir la mitad de la salsa blanca a la carne. Incorporar la salsa blanca con carne a pasta, cubrir con la salsa blanca. Hornear durante 50 minutos, o hasta que dore. Dejar reposar durante 10 minutos antes de rebanar. **Rinde 6-8 porciones**

Ñoqui con pesto de espinaca, rúcula y albahaca

Tiempo de preparación 15 minutos Tiempo de cocción 15 minutos

500g de ñoqui fresco con papa
100g de hojas de espinaca baby, lavadas
100g de hojas de rúcula (arúgula) baby,
   lavadas
1 taza de hojas de albahaca fresca

2 dientes de ajo
4 cucharadas de piñones, tostados
1/4 taza de queso parmesano, rallado
2 cucharadas de aceite de oliva extra virgen
pimienta negra troceada al gusto

1 Cocer los ñoquis en una cacerola grande con agua hirviendo justo hasta que floten en la superficie. Sacar con una espumadera, escurrir bien y conservar calientes.
2 Cocer la espinaca al vapor hasta que se marchite, escurrir y exprimir el exceso de agua.
3 Poner la espinaca, la rúcula, la albahaca, el ajo, los piñones y el parmesano en el procesador de alimentos, y procesar hasta que la mezcla esté homogénea. Con el motor encendido, añadir poco a poco el aceite de oliva y procesar hasta que la pasta esté suave.
4 Servir el pesto en el ñoqui cocido y revolver. Sazonar con pimienta negra troceada. **Rinde 4 porciones**

Pay de bacalao ahumado, salmón y papa

Tiempo de preparación 40 minutos Tiempo de cocción 1 hora 10 minutos

800g de bacalao ahumado
500ml de leche baja o reducida en grasa
200ml de caldo de pescado
   reducido en sal
1 hoja de laurel
1 cebolla, con 3 clavos clavados
50g de margarina poliinsaturada
50g de harina blanca
100g de salmón ahumado,
   en tiras delgadas

1 taza de chícharos frescos o congelado
3 cucharada de perejil fresco, picado
1 cucharada de ralladura de limón
1 cucharada de jugo de limón
pimienta negra troceada
900g de papas, picadas
30g de queso cheddar
   reducido en grasa, rallado

NUTRIENTES por porción

Energía	1412kJ
Energía	336cal
Grasa total	10.0g
Grasa saturada	2.7g
Grasa monoinsaturada	3.1g
Grasa poliinsaturada	3.8g
Proteínas	38.0g
Carbohidratos	23.4g
Fibra	3.4g
Sodio	870mg
Colesterol	80mg

1 Precalentar el horno a 180°C. Poner el bacalao ahumado en una sartén profunda y agregar 400ml de la leche, el caldo de pescado, la hoja de laurel y la cebolla con los clavos. Dejar que suelte el hervor lentamente. Bajar la flama, tapar y cocinar a fuego lento durante 5 minutos, o hasta que se suavice el pescado. Sacar el pescado con un espumadera y reservar para enfriar.

2 Colar el líquido de la cocción en un bol. Fundir la margarina en una cacerola chica, agregar la harina y revolver mientras se cocina durante 1 minuto. Añadir el líquido de la cocción que se reservó y cocinar, revolviendo constantemente, hasta que la salsa hierva y espese. Dejar hervir a fuego muy lento mientras se prepara el pescado.

3 Pelar el bacalao y partir la carne en trozos grandes. Revolver el bacalao con el salmón y los chícharos; poner en la base de un refractario de cerámica de 27cm de largo por 6cm de profundidad. Agregar el perejil, las alcaparras, la ralladura y el jugo de limón a la salsa y sazonar con pimienta recién molida. Bañar el pescado con la salsa. Refrigerar.

4 Poner las papas en una cacerola mediana, tapar con agua y cocer a fuego lento durante 20-25 minutos, o hasta que estén suaves. Escurrir bien. Calentar los 100ml de leche restantes. Con una batidora eléctrica de mano, batir las papas, agregando la leche hasta que la mezcla esté suave y homogénea. Sazonar con pimienta.

5 Cubrir el pescado completamente con la mezcla de papa. Usar un tenedor para marcar líneas gruesas en la papa y espolvorear con queso. Hornear durante 30 minutos. Servir con una ensalada verde crujiente, o con ejotes al vapor. **Rinde 4-6 porciones**

TIP

Las grasas marinas omega 3 son ácidos grasos poliinsaturados que se encuentran principalmente en el pescado y en algunos mariscos. Las grasas marinas omega 3 son buenas por su capacidad para reducir el riesgo de un infarto, para evitar frecuencias cardiacas irregulares (arritmia) y disminuir los niveles de triglicéridos en la sangre.

Pays individuales de res al vino tinto

Tiempo de preparación 30 minutos + tiempo para enfriar
Tiempo de cocción 2 horas 25 minutos

2 cucharaditas de aceite de cacahuate
1 cebolla grande, picada
2 dientes de ajo, machacados
1kg de aguja de res, sin grasa y en cubos
2 cucharadas de harina blanca
2 cucharadas de puré de tomate
    reducido en sal
375ml de vino tinto
375ml de caldo de res reducido en sal

2 zanahorias, finamente rebanadas
200g de champiñones, en cuartos
2 cucharadas de tomillo fresco, picado
2 cucharadas de perejil fresco, picado
2 láminas de pasta de hojaldre con aceite
    de cártamo, descongelada
4 ramas de tomillo
1 cucharada de leche baja
    o reducida en grasa

1 Precalentar el horno a 200°C. Se necesitarán 6 x 2 moldes para pays individuales.
2 Calentar el aceite en una cacerola grande, agregar la cebolla y saltear a fuego medio durante 5 minutos, o hasta que dore. Añadir el ajo y la carne, y cocinar durante 5 minutos, hasta que se dore la carne.
3 Agregar la harina y el puré de tomate y cocinar durante 2 minutos más, revolviendo constantemente. Incorporar el vino tinto y el caldo, dejar que suelte el hervor. Añadir las zanahorias, los champiñones y el tomillo picado. Bajar la flama, tapar y hervir a fuego lento durante 1 hora, quitar la tapadera y cocinar durante 45 minutos hasta que la carne esté suave y la salsa se haya reducido y espesado. Agregar el perejil, pasar a un tazón y dejar que el relleno se enfríe completamente.
4 Usar como molde la boca de uno de los moldes para pay y cortar 6 círculos de pasta de hojaldre 2cm más largos que el molde. Servir el relleno en los moldes. Barnizar los bordes de cada círculo de pasta con un poco de agua y tapar los moldes (con la parte húmeda hacia abajo), presionando la pasta del lado del molde para sellar. Marcar una pequeña cruz en cada pay, insertar una rama de tomillo y barnizar ligeramente con la leche.
5 Hornear 20-25 minutos, o hasta que la pasta esté crujiente y dorada, y el relleno caliente. Servir los pays acompañados con puré de papa y frijoles al vapor.
Rinde 6 porciones

Piernas de pollo marinadas asiáticas

Tiempo de preparación 20 minutos + tiempo para marinar **Tiempo de cocción** 40 minutos

12 piernas de pollo grandes
1/2 taza de salsa hoisin
    (salsa china agridulce)
3 cucharadas de miel
1 cucharada de jugo de limón
1 cucharada de aceite de girasol

2 dientes de ajo, machacados
4 cebollas de cambray, finamente
    rebanadas en diagonal
4 bok choy baby, en mitades
    (vegetal parecido a la acelga)
arroz al vapor, para acompañar

1 Quitar la piel a las piernas de pollo y el exceso de grasa. Hacer 2 o 3 cortes grandes en la parte carnosa del pollo.
2 Poner la salsa hoisin, la miel, el jugo de limón, el aceite y el ajo en un tazón grande revolver bien. Bañar las piernas en la mezcla, tapar y marinar en el refrigerador durante 1 hora, o durante toda la noche si el tiempo lo permite.
3 Precalentar el horno a 200°C. Forrar una charola para horno con papel encerado. Poner las piernas encima y asar durante 40 minutos o hasta que estén tiernas y los jugos salgan claros al picarlas con un cuchillo. Espolvorear las piernas con las cebollas de cambray.
5 Cocer la bok choy en una vaporera de bambú sobre un wok con agua hirviendo, con cuidado de que la base de la vaporera no toque el agua. Servir el pollo sobre una cama de bok choy y arroz al vapor a un lado. **Rinde 4 porciones**

NUTRIENTES por porción

Energía	1359kJ
Energía	325cal
Grasa total	8.6g
Grasa saturada	3.4g
Grasa monoinsaturada	3.8g
Grasa poliinsaturada	1.2g
Proteínas	38.0g
Carbohidratos	13.0g
Fibra	2.4g
Sodio	397mg
Colesterol	112mg

TIP

En el invierno, a todos se les antoja un buen pay de carne. Pero muchos de los pays comerciales son altos en grasas saturadas (principalmente), colesterol y sal. Los pays caseros hechos con carne de res magra y pasta de hojaldre con aceite de cártamo son una alternativa más saludable.

NUTRIENTES por porción

Energía	1817kJ
Energía	434cal
Grasa total	17.0g
Grasa saturada	3.7g
Grasa monoinsaturada	6.2g
Grasa poliinsaturada	4.9g
Proteínas	42.0g
Carbohidratos	29.0g
Fibra	7.9g
Sodio	690mg
Colesterol	154mg

Risotto con mariscos

Tiempo de preparación 40 minutos **Tiempo de cocción** 40 minutos

400g de camarones
250ml de vino blanco
1l de caldo de pescado reducido en sal
250ml de agua
1 pizca de azafrán
2 cucharaditas de aceite de girasol
2 dientes de ajo, machacados
150g de tubos de calamar, en aros

150g de filetes de pescado blanco firm
    sin piel y sin espinas, en cubos de 2
150g de ostiones
1 cebolla, finamente rebanada
2 tazas de arroz Arborio
1 cucharada de cebollín fresco, picado
1 cucharada de jugo de limón
pimienta negra troceada, para servir

NUTRIENTES por porción

Energía	2916kJ
Energía	697cal
Grasa total	5.5g
Grasa saturada	1.1g
Grasa monoinsaturada	1.3g
Grasa poliinsaturada	2.2g
Proteínas	48.0g
Carbohidratos	102.0g
Fibra	3.6g
Sodio	992mg
Colesterol	262mg

1 Pelar y desvenar los camarones, dejando las colas intactas. Poner las cáscaras en cacerola chica con el vino, el caldo y el agua, y dejar que suelte el hervor. Bajar la flama y cocinar a fuego lento durante 15 minutos, colar y desechar las cáscaras. Devolver el líquido con el azafrán a la cacerola y dejar que se siga cocinando a fuego lento.

2 Calentar el aceite en una sartén grande, agregar el ajo, los camarones, el calamar, pescado y los ostiones en tandas separadas, y cocinar a fuego alto hasta que cam de color. Sacar de la sartén y reservar.

3 Añadir la cebolla a la sartén y saltear hasta que se dore; agregar el arroz y cocina sin dejar de revolver, hasta que el arroz empiece a ponerse blanco.

4 Incorporar el caldo de azafrán, una cucharada a la vez, y cocinar, sin dejar de revo hasta que se haya absorbido casi todo el líquido. Seguir agregando una cucharada caldo a la vez hasta que se absorba el líquido y el arroz esté suave. Batir el arroz una cuchara de madera hasta que adquiera una textura cremosa.

5 Agregar los mariscos cocidos y el cebollín. Sazonar con jugo de limón y un poco de pimienta negra troceada. **Rinde 4 porciones**

TIP

El pescado y los mariscos se cuecen en cuestión de minutos. En cuanto a la carne se vuelve opaca y se desmenuza con facilidad, si ya está cocida. El pescado que se cuece en exceso tendrá menos humedad y sabor, así que tómalo en cuenta

INGREDIENTE PRINCIPAL

Los CAMARONES tienen un contenido de colesterol más alto que muchos otros mariscos. Sin embargo, las características más positivas de los camarones generalmente se pasan por alto: casi no contienen grasa saturada y son ricos en proteínas. Cuando se incluyen como parte de un patrón de alimentación bajo en grasa saturada, son buenos con moderación, a menos que el médico o el nutriólogo indiquen lo contrario.

Vegetales y guarniciones

Además de darle un gran sabor y color a los alimentos, los vegetales y las guarniciones también son fuente de nutrientes esenciales para la salud de tu corazón y el de tu familia. Con velocidad y simplicidad en mente, hemos hecho que sea muy fácil comer sano.

Champiñones y pimiento marinados

Tiempo de preparación 30 minutos + tiempo para marinar
Tiempo de cocción 5 minutos

1 pimiento rojo
1 pimiento amarillo
1 pimiento verde
4 cebollas de cambray, en rebanadas
500g de champiñones, en mitades
2 dientes de ajo, machacados

1 cucharada de mostaza con miel integ
125ml de aderezo italiano para ensalad
2 cucharadas de perejil de hoja lisa fres
   picado
1 cucharada de tomillo fresco, picado

1 Cortar los pimientos en mitades, sacar las semillas y las membranas. Asarlos en un
   charola para hornear a fuego alto hasta que la piel se ampolle y se ennegrezca.
   Pasarlos a una bolsa de plástico y dejar enfriar. Pelar y desechar la piel, después
   cortar la carne en tiras delgadas.
2 Poner las tiras de pimiento, las cebollas de cambray y los champiñones en un tazó
   y revolver bien.
3 Incorporar el ajo, la mostaza, el aderezo para ensalada y las hierbas, y bañar los
   champiñones. Revolver bien para que el pimiento y los champiñones queden
   cubiertos con el aderezo. Tapar y dejar marinar hasta por 4 horas.
Rinde 4-6 porciones

NUTRIENTES por porción

Energía	288kJ
Energía	69cal
Grasa total	3.7g
Grasa saturada	0.3g
Grasa monoinsaturada	0.8g
Grasa poliinsaturada	2.0g
Proteínas	4.4g
Carbohidratos	4.4g
Fibra	3.3g
Sodio	171mg
Colesterol	0mg

INGREDIENTE PRINCIPAL

Las LENTEJAS son una legumbre pequeña de la familia del chícharo y las hay color verde, café o rojo-anaranjado intenso. Son bajas en grasa, no tienen colesterol, son altas en algunas vitaminas B, y resultan una excelente fuente de proteína vegetal para las personas que no comen carne.

Lentejas con vegetales verdes

Tiempo de preparación 20 minutos **Tiempo de cocción** 30 minutos

1 manojo de espárragos,
   en trozos de 3cm
300g de brócoli, en ramilletes
100g de chícharos chinos, despuntados
1 taza de lentejas de Puy (verdes, chicas)
250ml de caldo de verduras
   reducido en sal
1 cucharada de aceite de girasol

1 diente de ajo, machacado
1 cucharada de mostaza con miel
1 cucharada de jugo de limón
3 cucharadas de albahaca fresca,
   finamente picada
100g de hojas de espinaca baby, lavadas
pimienta negra troceada al gusto

1 Cocer al vapor o escaldar los espárragos, el brócoli y los chícharos chinos hasta q
   estén suaves, pero brillantes. Enjuagar bajo el chorro de agua fría y escurrir. Reser
2 Poner las lentejas en una cacerola grande, agregar el caldo y 250ml de agua; dejar
   que suelte el hervor. Bajar la flama y cocer a fuego lento durante 20 minutos, o ha
   que las lentejas estén suaves. No cocer en exceso, o se harán pastosas. Escurrir
   y reservar 60ml del caldo de la cocción.
3 Devolver las lentejas a la cacerola, añadir el aceite, el ajo, la mostaza, el jugo de
   limón, el caldo reservado y los vegetales escaldados o cocidos al vapor. Cocinar a
   fuego bajo durante 2 minutos, o hasta que estén bien calientes.
4 Quitar de la estufa y revolver con las espinacas y la albahaca. Sazonar con pimient
   negra troceada. **Rinde 4-6 porciones**

NUTRIENTES por porción

Energía	592kJ
Energía	141cal
Grasa total	4.3g
Grasa saturada	0.4g
Grasa monoinsaturada	0.6g
Grasa poliinsaturada	2.6g
Proteínas	12.0g
Carbohidratos	13.0g
Fibra	8.0g
Sodio	329mg
Colesterol	0mg

Vegetales asados con semillas de ajonjolí

Tiempo de preparación 20 minutos **Tiempo de cocción** 30 minutos

250g de calabaza
300g de camote naranja
1 pimiento grande
500g de papas cambray
8 cebollas de cambray, peladas
1 cucharada de aceite de oliva

2 dientes de ajo, machacados
1 cucharada de miel
2 cucharadas de semillas de ajonjolí, tostadas
1 cucharada de ramas de romero fresc
pimienta negra troceada

1 Precalentar el horno a 200°C.
2 Pelar la calabaza y cortar en piezas largas. Partir el camote en piezas grandes. Qui
   las semillas y la piel al pimiento y cortar en piezas grandes. Revolver los vegetales
   preparados con las papas y las cebollas en un refractario grande.
3 Bañar con el aceite revuelto con el ajo y la miel, y revolver bien. Hornear durante
   30 minutos o hasta que los vegetales estén tiernos.
4 Sacar del horno y espolvorear con semillas de ajonjolí y ramitas de romero. Sazon
   con pimienta troceada. **Rinde 4-6 porciones**

NUTRIENTES por porción

Energía	772kJ
Energía	184cal
Grasa total	5.0g
Grasa saturada	0.8g
Grasa monoinsaturada	2.9g
Grasa poliinsaturada	0.9g
Proteínas	4.7g
Carbohidratos	30.0g
Fibra	3.8g
Sodio	200mg
Colesterol	0mg

TIP

Hablando en general, los vegetales que se sirven apenas cocidos o ligeramente crudos retienen un contenido mayor de vitaminas que los vegetales que se cuecen en exceso.

TIP

Siempre que sea posible, deja los vegetales con cáscara (si ésta es comestible, como la de las papas, las chirivías o las zanahorias). La cáscara aumenta la cantidad de fib de los alimentos. Solamen recuerda lavarlos muy bier antes de cocerlos sin pela

Papas cremosas al gratín

Tiempo de preparación 15 minutos **Tiempo de cocción** 45 minutos

NUTRIENTES por porción

Energía	1018kJ
Energía	243cal
Grasa total	6.6g
Grasa saturada	4.0g
Grasa monoinsaturada	1.8g
Grasa poliinsaturada	0.2g
Proteínas	15.0g
Carbohidratos	30.0g
Fibra	3.0g
Sodio	291mg
Colesterol	21mg

750g de papas desiré o sebago[*]
1 cebolla, finamente rebanada
375ml de leche evaporada
   reducida en grasa

125ml de caldo de pollo reducido en sal
1/2 taza de queso cheddar rallado
   reducido en grasa

[*] N. de la T. Las papas desiré son de piel rosada y carne dorada. La papa sebago es de p
suave y carne blanca.

1 Precalentar el horno a 180°C. Pelar las papas y cortarlas en rebanadas delgadas.
   Poner una capa de papas y una de cebollas en un refractario con capacidad para
   6 tazas.
2 Revolver con un tenedor la leche evaporada, el caldo de pollo y la mitad del queso
   Verter en el refractario.
3 Espolvorear con el queso rallado y hornear, tapado, durante 30 minutos; después,
   destapar y hornear durante 15 minutos más, o hasta que las papas estén tiernas
   y el queso dorado. **Rinde 4-6 porciones**

TIP
Cuando se usan
ingredientes de sabor
fuerte en una receta, como
ralladura de limón, vinagre
o hierbas, la necesidad de
agregar sal es muchísimo
menor.

NUTRIENTES por porción

Energía	738kJ
Energía	176cal
Grasa total	8.9g
Grasa saturada	3.0g
Grasa monoinsaturada	4.5g
Grasa poliinsaturada	0.6g
Proteínas	12.0g
Carbohidratos	11.0g
Fibra	6.8g
Sodio	309mg
Colesterol	15mg

Tomates asados con albahaca y feta

Tiempo de preparación 5 minutos **Tiempo de cocción** 20 minutos

16 tomates cherry maduros
   aún pegados a la rama
100g de queso feta reducido en grasa
1/2 cucharadita de ralladura de limón

2 cucharadas de hojas frescas de albaha
   finamente picadas
pimienta negra troceada al gusto
1 cucharada de vinagre balsámico

1 Precalentar el horno a 180°C.
2 Cortar los tomates en grupos de cuatro. Con cuidado, rebanar las partes superior
   sin separarlas de la rama; sacar la pulpa con una cucharita y desecharla.
3 Revolver el feta con el limón, la albahaca y un poco de pimienta troceada. Rellenar
   los tomates con porciones iguales.
4 Volver a poner las tapas de los tomates, y mantenerlas cerradas con palillos de
   dientes. Poner los tomates en una charola para horno de teflón. Hornear durante
   15-20 minutos, o hasta que el feta empiece a fundirse y la piel se suavice. Bañar co
   el vinagre balsámico justo antes de servir. **Rinde 4 porciones**

Espárragos y poros a la parrilla

Tiempo de preparación 10 minutos Tiempo de cocción 10 minutos

2 poros chicos
2 manojos de espárragos
aceite de oliva en espray
300g de frijoles de Lima de lata, escurridos

2 cucharadas de aceite de oliva
    extra virgen
4 cucharadas de almendras fileteadas
1/4 taza de virutas de queso parmesano
2 cucharadas de vinagre balsámico

1 Cortar los poros a la mitad a lo largo, después en cuartos y lavar muy bien. Quitar la parte fibrosa de los tallos de los espárragos.
2 Rociar la parrilla con aceite de oliva y calentar. Cocinar los poros y los espárragos a fuego medio-alto hasta que estén tiernos. Pasar a un platón.
3 Revolver los frijoles de Lima con 1 cucharada de aceite de oliva y cocinar a fuego medio durante 5 minutos, o hasta que se calienten.
4 Servir los frijoles sobre los poros y los espárragos. Revolver las almendras con el parmesano en un tazón chico, espolvorear los frijoles y bañar con el aceite balsámico y el resto del aceite. **Rinde 4 porciones**

NUTRIENTES por porción

Energía	8241kJ
Energía	197cal
Grasa total	17.0g
Grasa saturada	3.3g
Grasa monoinsaturada	11.0g
Grasa poliinsaturada	2.2g
Proteínas	7.9g
Carbohidratos	3.6g
Fibra	4.6g
Sodio	121mg
Colesterol	7.42mg

INGREDIENTE PRINCIPAL

Los ESPÁRRAGOS son una fuente excelente de ácido fólico y de mucha vitamina C. Cuando compres espárragos, busca aquellos con las puntas muy comprimidas y que se vean frescos, y con tallos firmes. Para preparar los espárragos, córtales la base gruesa, enjuágalos en agua fría y cuécelos como indique la receta.

Mezcla de ejotes con piñones y parmesano

Tiempo de preparación 10 minutos Tiempo de cocción 10 minutos

250g de ejotes amarillos, despuntados
200g de ejotes verdes, despuntados
2 cucharadas de vinagre de vino tinto
1 cucharadita de miel
1 diente de ajo, machacado
2 cucharadas de menta fresca, finamente rebanada

1 cucharada de aceite de semillas de mostaza
2 cucharadas de piñones, tostados
2 cucharadas de virutas de parmesano
pimienta negra troceada al gusto

1 Cocer los ejotes al vapor o en el microondas hasta que estén tiernos. No cocer en exceso porque perderán su color. Escurrir bien.
2 Revolver con un tenedor el vinagre de vino tinto con la miel, el ajo, la menta y el aceite de semillas de mostaza en un bol.
3 Bañar los ejotes con el aderezo y servir encima los piñones tostados, el parmesano y la pimienta negra. **Rinde 4 porciones**

Para hacer las virutas de parmesano, pasar el pelador de verduras por un costado de un triángulo de queso parmesano para conseguir tiras delgadas.

NUTRIENTES por porción

Energía	612kJ
Energía	146cal
Grasa total	12.0g
Grasa saturada	1.8g
Grasa monoinsaturada	2.8g
Grasa poliinsaturada	6.5g
Proteínas	5.4g
Carbohidratos	4.5g
Fibra	3.6g
Sodio	76mg
Colesterol	4.75mg

TIP

Los antioxidantes protegen al cuerpo de los radicales libres. La mayoría de las frutas, verduras, cereales enteros y productos de cereal son ricos en antioxidantes, así que comer una variedad de ellos todos los días es benéfico para el organismo.

Tazones individuales de macarrones, broccolini y coliflor con queso

Tiempo de preparación 20 minutos Tiempo de cocción 30 minutos

50g de macarrones
250g de coliflor, en ramilletes
250g de broccolini o brócoli, en ramilletes
20g de aceite de cártamo untable o líquido
1 cucharada de harina blanca

1 pizca de azafrán
1 pizca de nuez moscada
250ml de leche evaporada reducida en grasa
1/3 taza de queso cheddar rallado reducido en grasa

1 Precalentar el horno a 200°C. Engrasar ligeramente 4 cazuelitas de 250ml (refractarios de cerámica).
2 Cocer los macarrones en una cacerola grande con agua hirviendo hasta que estén al dente (suaves, pero firmes en el centro). Escurrir bien y reservar.
3 Cocer al vapor o en el microondas la coliflor y el broccolini o brócoli por separado hasta que estén tiernos. Escurrir bajo el chorro de agua fría y reservar.
4 Calentar el cártamo untable en una cacerola chica, agregar la harina, el azafrán, la nuez moscada y cocinar, revolviendo constantemente, hasta que burbujee. Retirar de la estufa y añadir la leche poco a poco.
5 Devolver la cacerola a la estufa y dejar que suelte el hervor, revolver constantemente hasta que la salsa espese. Bajar la flama y cocinar a fuego lento durante 5 minutos.
6 Poner los macarrones en la base de cada molde, servir una mezcla de coliflor y brócoli y bañar con la salsa. Espolvorear con el queso. Hornear durante 15 minutos o hasta que la salsa esté dorada y burbujee. **Rinde 4 porciones**

Esta receta también puede prepararse en un refractario grande.

NUTRIENTES por porción

Energía	764kJ
Energía	182cal
Grasa total	5.7g
Grasa saturada	2.5g
Grasa monoinsaturada	1.5g
Grasa poliinsaturada	1.1g
Proteínas	13.0g
Carbohidratos	19.0g
Fibra	4.4g
Sodio	156mg
Colesterol	11mg

NUTRIENTES por porción

Energía	565kJ
Energía	135cal
Grasa total	7.6g
Grasa saturada	1.1g
Grasa monoinsaturada	4.7g
Grasa poliinsaturada	1.1g
Proteínas	4.9g
Carbohidratos	9.9g
Fibra	4.4g
Sodio	144mg
Colesterol	0mg

TIP

¡Sé aventurera! Prueba una amplia variedad de vegetales y cuando menos dos porciones de fruta al día, y añade aún más fibra a tus alimentos usando lentejas, chícharos, garbanzos o frijoles secos y de lata.

NUTRIENTES por porción

Energía	909kJ
Energía	217cal
Grasa total	10.0g
Grasa saturada	1.2g
Grasa monoinsaturada	1.6g
Grasa poliinsaturada	6.6g
Proteínas	13.0g
Carbohidratos	19.0g
Fibra	7.3g
Sodio	18mg
Colesterol	0mg

Ensalada de espinacas y garbanzos picosos

Tiempo de preparación 15 minutos Tiempo de cocción 10 minutos

2 cucharadas de aceite de oliva
2 dientes de ajo, machacados
1 cebolla morada, finamente rebanada
1 pizca de hojuelas de chile rojo
1 zanahoria, finamente picada
1 pimiento rojo, finamente picado
300g de garbanzos de lata, enjuagados y escurridos
150g de hojas de espinaca baby, lavadas
100g de tomates semideshidratados, picados
2 cucharadas de jugo de limón
125ml de vino blanco
3 cucharadas de hierbas frescas, picadas (perejil, orégano, cebollín)

1 Calentar el aceite en una sartén grande, agregar el ajo, la cebolla, las hojuelas de chile y saltear a fuego medio hasta que se suavice la cebolla.
2 Agregar la zanahoria y el pimiento, y cocinar hasta que estén tiernos. Incorporar lc garbanzos, la espinaca, los tomates semideshidratados, el jugo de limón y el vino; dejar que suelte el hervor. Bajar la flama y cocinar a fuego lento durante 2 minutos o hasta que se marchite la espinaca.
3 Retirar de la estufa, agregar las hierbas y servir tibia o fría. **Rinde 4-6 porciones**

Dhal aromático (lentejas indias)

Tiempo de preparación 15 minutos Tiempo de cocción 30 minutos

200g de lentejas rojas
2 cucharadas de aceite de girasol
1 cucharada de aceite untable o líquido
1 cebolla, finamente rebanada
2 chiles verdes frescos, finamente picados
1 cucharadita de semillas de mostaza
1/2 cucharadita de azafrán de las Indias molido
6 hojas de curry frescas
1 cucharada de cilantro fresco, picado

1 Cocer las lentejas en 750ml de agua hirviendo durante 20 minutos, o hasta que se suavicen. Revolver un par de veces durante la cocción para que no se peguen en el fondo de la cacerola. No escurrir.
2 Calentar el aceite y el cártamo untable en una sartén grande, agregar la cebolla y los chiles, y cocinar a fuego medio hasta que se suavice y se dore la cebolla.
3 Añadir las semillas de mostaza, el azafrán de las Indias y las hojas de curry; cocinar hasta que las semillas de mostaza se truenen.
4 Agregar las lentejas sin escurrir y el cilantro fresco; cocinar a fuego medio durante un par de minutos, o hasta que la mezcla se caliente y esté ligeramente cremosa. Servir solo o acompañado de poppadoms (pan parecido a las tostadas) de microondas. **Rinde 4 porciones**

Berenjena baby con jengibre y soya dulce

Tiempo de preparación 15 minutos **Tiempo de cocción** 15 minutos

8 berenjenas delgadas
aceite de cártamo en espray
3 dientes de ajo, machacados
1 cucharada de jengibre fresco, rallado
1 cucharadita de semillas de comino

1 pizca de chile en polvo
1 cucharada de kecap manis
  (salsa de soya dulce)
2 cucharadas de jugo de limón
1/4 taza de hojas de albahaca thai

1 Cortar las berenjenas a la mitad, dejando los tallos intactos. Rociar ligeramente el lado del corte con el aceite de cártamo.
2 Calentar una sartén grande de teflón a fuego medio y agregar las berenjenas, con lado del corte hacia abajo, y cocinar hasta que empiecen a suavizarse y a dorarse. Reservar.
3 Agregar el ajo, el jengibre, el comino, el chile en polvo y 1 cucharada de agua a la sartén, y cocinar hasta que se suavice el ajo.
4 Incorporar la kecap manis, el jugo de limón y 125ml de agua; dejar que suelte el hervor a fuego lento. Devolver la berenjena a la sartén y cocinar durante 10 minutos, o hasta que se suavice y se haya absorbido casi todo el líquido. Servir en platos con las hojas de albahaca thai. **Rinde 4-6 porciones**

Servir caliente o frío como acompañamiento de platillos de cordero o de vegetales.

NUTRIENTES por porción

Energía	163kJ
Energía	39cal
Grasa total	0.7g
Grasa saturada	0g
Grasa monoinsaturada	0g
Grasa poliinsaturada	0g
Proteínas	2.4g
Carbohidratos	5.6g
Fibra	4.8g
Sodio	200mg
Colesterol	0mg

TIP

La kecap manis (o ketjap manis) es una salsa de soya indonesia, espesa y dulce. Almacénala en un lugar seco y fresco y refrigérala después de abrir. Si no la encuentras, usa salsa de soya endulzada con un poco de azúcar morena.

Vegetales verdes asiáticos con salsa de soya dulce y aderezo de ajonjolí

Tiempo de preparación 5 minutos **Tiempo de cocción** 5 minutos

500g de bok choy baby
  (vegetal parecido a la acelga)
500g de brócoli china
300g de espinaca acuática
1/2 cucharadita de aceite de ajonjolí
1 cucharada de salsa de ostión

1 cucharada de kecap manis
  (salsa de soya dulce)
1 cucharada de vinagre de arroz
1 cucharada de semillas de ajonjolí,
  tostadas

1 Cortar el bok choy, el brócoli chino y la espinaca acuática en trozos de 20cm. Lav escurrir y poner en una vaporera grande de bambú forrada con papel encerado. Cocinar sobre un wok con agua hirviendo, teniendo precaución de que la base de vaporera no entre en contacto con el agua, durante 5 minutos o hasta que estén suaves y brillantes.
2 Revolver con un tenedor el aceite de ajonjolí, la salsa de ostión, la kecap manis y el vinagre de arroz en un bol.
3 Acomodar con cuidado los vegetales en un platón y bañar con la salsa. Espolvorea con las semillas de ajonjolí y servir. **Rinde 4-6 porciones**

NUTRIENTES por porción

Energía	314kJ
Energía	75cal
Grasa total	2.6g
Grasa saturada	0.3g
Grasa monoinsaturada	0.7g
Grasa poliinsaturada	0.9g
Proteínas	10.0g
Carbohidratos	2.3g
Fibra	8.6g
Sodio	417mg
Colesterol	0mg

Postres

Estás a punto de recibir una gran sorpresa. Justo al dar la vuelta a la página, descubrirás que mantener un corazón sano no siempre significa saltarse los postres. Nuestros deliciosos postres tienen como base mucha fruta fresca, para que puedas consentirte con platillos dulces, que lucen estupendos, en compañía de tus amigos y familiares.

NUTRIENTES por porción

Energía	1955kJ
Energía	467cal
Grasa total	11.0g
Grasa saturada	1.8g
Grasa monoinsaturada	8.4g
Grasa poliinsaturada	0.2g
Proteínas	9.7g
Carbohidratos	84.0g
Fibra	3.6g
Sodio	75mg
Colesterol	5.03mg

TIP

Cuando hagas pasteles, sustituye la mantequilla, la manteca, el ghee, la copha, el aceite de palma y la margarina por margarina poliinsaturada, pues todos ellos son altos en grasas saturadas.

NUTRIENTES por porción

Energía	675kJ
Energía	161cal
Grasa total	4.4g
Grasa saturada	1.5g
Grasa monoinsaturada	1.3g
Grasa poliinsaturada	1.2g
Proteínas	3.4g
Carbohidratos	26.0g
Fibra	1.6g
Sodio	73mg
Colesterol	24mg

Arroz cremoso con peras a la miel y macadamias

Tiempo de preparación 20 minutos Tiempo de cocción 35 minutos

1 taza de arroz Arborio o de grano corto
500ml de leche baja o reducida en grasa
2 cucharadas de azúcar morena
1 vaina de vainilla, cortada a la mitad a lo largo
2 cucharadas de natilla en polvo

3 cucharadas de miel
1 cucharadita de canela molida
2 peras Kaiser, peladas y cortadas en rebanadas gruesas a lo largo
4 cucharadas de nueces de macadamia, asadas y picadas

1 Poner el arroz, 750ml de agua, leche y azúcar en una cacerola. Raspar las semillas la vaina de vainilla, agregarlas a la leche y dejar que suelte el hervor. Bajar la flama dejar cocinar a fuego lento durante 20 minutos, revolviendo de vez en cuando, o hasta que el arroz esté suave.

2 Disolver la natilla en polvo con 2 cucharadas de agua y revolver con la mezcla de arroz. Seguir revolviendo hasta que la mezcla hierva, y después cocinar a fuego le durante 2 minutos, hasta que espese. Quitar de la estufa, tapar la mezcla de arroz con plástico adherente y dejar reposar mientras se preparan las peras.

3 Calentar la miel y la canela en una sartén poco profunda, agregar las rebanadas de pera por tandas y cocinar a fuego medio hasta que se doren y se suavicen ligeramente. Retirar de la estufa.

4 Sacar la vaina de vainilla y servir el arroz con crema en tazones individuales. Acomodar las peras en el borde de cada tazón. Espolvorear con macadamias pica **Rinde 4 porciones**

Brownies de chocolate y frambuesa

Tiempo de preparación 20 minutos Tiempo de cocción 35 minutos

1/2 taza de harina blanca
1/2 taza de harina con levadura
1 cucharadita de bicarbonato de sodio
3/4 taza de cocoa
2 huevos, ligeramente batidos
1 1/4 tazas de azúcar refinada
1 cucharadita de esencia de vainilla

1 1/2 cucharadas de aceite de girasol
200g de yogur de vainilla espeso reduci en grasa
120g de puré de manzana
200g de frambuesas frescas o congelad
azúcar glas para espolvorear
frambuesas frescas, para acompañar

1 Precalentar el horno a 180°C. Engrasar y forrar la base y los costados de un mold de 30 x 20cm con papel encerado.

2 Cernir las harinas, el bicarbonato de sodio y la cocoa en un tazón grande, y hacer un hueco en el centro.

3 Revolver con un tenedor los huevos, el azúcar, la vainilla, el aceite y el yogur en un bol grande. Agregar a las harinas y revolver hasta que la mezcla sea homogénea. Incorporar el puré de manzana y las frambuesas.

4 Servir la mezcla en el molde preparado y hornear durante 30 minutos, o hasta qu un palillo salga limpio al insertarlo en el centro. Dejar enfriar durante 5 minutos antes de desmoldar en una rejilla metálica para que se enfríe completamente.

5 Cortar en cuadros y espolvorear con azúcar glas. Servir con frambuesas frescas y helado reducido en grasa. **Rinde 16 porciones**

Pastel de Navidad con fruta glaseada

Tiempo de preparación 30 minutos + reposo toda la noche
Tiempo de cocción 3 horas 30 minutos

1kg de mezcla de fruta seca
150g de chabacanos glaseados, picados
150g de cerezas glaseadas, picadas
50g de jengibre glaseado, picado
250ml de brandy
1 taza de azúcar morena
2 cucharadas de aceite de girasol
3 claras de huevo, ligeramente batidas
1 cucharadita de esencia de vainilla
100g de almendras escaldadas,
   en trozos grandes
1 cucharada de mermelada de jengibre
   y limón
60ml de jugo de naranja
2 tazas de harina blanca

1/2 taza de harina con levadura
2 cucharaditas de especias mixtas

Glaseado
1 clara de huevo
2 cucharaditas de jugo de limón
1/2 taza de azúcar glas pura, cernida

Fruta glaseada
500g de mezcla de frutas frescas
   (frambuesas, cerezas, uvas)
2 claras de huevo, ligeramente batidas
2 tazas de azúcar refinada

1 Poner la mezcla de frutas secas, los chabacanos, las cerezas y el jengibre en un tazón grande, y revolver. Verter el brandy, tapar y dejar reposar toda la noche.

2 Precalentar el horno a 150°C. Engrasar y forrar la base y los costados de un molde redondo de 20cm o uno cuadrado de 23cm con 2 capas de papel encerado.

3 Poner el azúcar, el aceite, las claras de huevo y la vainilla en un tazón y batir hasta que la mezcla esté homogénea. Agregar las almendras, la mermelada y el jugo de naranja. Revolver con la mezcla de fruta seca.

4 Cernir las harinas y las especias en un tazón y añadir la fruta. Servir la mezcla en el molde preparado, golpear el molde en el suelo para eliminar las burbujas de aire. Alisar la superficie del pastel con las manos húmedas. Envolver la parte exterior del molde con varias capas de periódico y amarrar con un hilo para evitar que se queme la parte exterior del pastel. Hornear en la parrilla de en medio del horno durante 3-3 1/2 horas, o hasta que un palillo salga limpio al insertarlo en el centro. Tapar el pastel, sin apretar, con papel encerado, si comienza a oscurecerse mucho durante la cocción. Dejar enfriar por completo, después cubrir con el glaseado y la fruta glaseada.

5 Para preparar el glaseado: Licuar todos los ingredientes hasta que la mezcla esté homogénea.

6 Para preparar las frutas glaseadas: Barnizar las frutas con la clara de huevo, revolcar en el azúcar glas y dejar secar. **Rinde 30 porciones**

INGREDIENTE PRINCIPAL
La MEZCLA DE FRUTA SECA es alta en fibra y baja en grasas saturadas. Son estupendas para tener en la alacena como sano refrigerio o para usar en recetas dulces y sabrosas.

Mousse de chocolate con frutas del bosque

NUTRIENTES por porción

Energía	963kJ
Energía	230cal
Grasa total	10.0g
Grasa saturada	5.6g
Grasa monoinsaturada	3.3g
Grasa poliinsaturada	0.8g
Proteínas	8.3g
Carbohidratos	26.0g
Fibra	1.5g
Sodio	120mg
Colesterol	10mg

Tiempo de preparación 20 minutos + tiempo para refrigerar
Tiempo de cocción 15 minutos

175g de chocolate oscuro, picado
2 cucharaditas de grenetina en polvo
100g de queso ricota reducido en grasa
250ml de natilla de vainilla
  reducida en grasa

4 claras de huevo
300g de mezcla de frutas del bosque
  (fresas, frambuesas, arándanos, mora

1 Poner el chocolate en un tazón dentro de una cacerola con agua hirviendo, con cuidado de que el tazón no entre en contacto con el agua y de que no caiga agua el chocolate. Revolver a fuego bajo hasta que se funda el chocolate, y reservar par que se enfríe completamente.
2 Agregar la gelatina y 60ml de agua en una cacerola chica y revolver a fuego bajo hasta que se disuelva la gelatina y el líquido esté transparente. Retirar de la estufa dejar enfriar ligeramente.
3 Batir el queso ricota y la natilla juntos hasta que la mezcla esté homogénea. Presionar en un colador para retirar los grumos.
4 Batir las claras de huevo a punto de turrón e incorporar a la mezcla del queso ricota.
5 Agregar la grenetina y el chocolate a la mezcla. Servir el mousse en seis tazas o moldes de 125ml de capacidad, tapar y refrigerar durante 1 hora, o hasta que cua Acompañar con la mezcla de moras frescas. **Rinde 6 porciones**

INGREDIENTE PRINCIPAL

La HARINA DE ALMENDRA son almendras blanqueadas molidas. Las almendras contienen más calcio que cualquier otra nuez y son una buena fuente de grasa monoinsaturada, fibra, vitamina E, hierro, zinc, potasio y riboflavina (vitamina B2).

Panqués de almendras, arándanos y malvaviscos

Tiempo de preparación 15 minutos	Tiempo de cocción 20 minutos

1 1/2 tazas de azúcar glas
1 taza de harina blanca
1 cucharadita de mezcla de especias
1 taza de harina de almendra
5 claras de huevo

140g de puré de manzana
2 cucharadas de aceite de macadamia
150g de arándanos frescos o congelad
1 taza de malvaviscos blancos, en trozo
  grandes

1 Precalentar el horno a 200°C. Engrasar ligeramente y forrar la base de diez mold para panqué o un molde para 12 muffins de 125ml de capacidad.
2 Cernir el azúcar glas, la harina y la mezcla de especias en un tazón grande, y agreg la harina de almendra.
3 Batir con un tenedor las claras de huevo hasta que hagan espuma, agregar a los ingredientes secos y revolver bien. Incorporar el puré de manzana revuelto con el aceite de macadamia.
4 Agregar los arándanos y los malvaviscos. Servir la mezcla en los moldes preparad y hornear durante 20 minutos, o hasta que un palillo salga limpio al insertarlo en centro.
5 Dejar reposar durante 5 minutos antes de desmoldar en una rejilla metálica para que se enfríen completamente. Servir por la mañana o por la tarde acompañados café o té. **Rinde 10 porciones**

NUTRIENTES por porción

Energía	888kJ
Energía	212cal
Grasa total	8.0g
Grasa saturada	1.4g
Grasa monoinsaturada	3.4g
Grasa poliinsaturada	2.6g
Proteínas	3.4g
Carbohidratos	33.0g
Fibra	1.0g
Sodio	30mg
Colesterol	0mg

Pay de queso ricota con compota de frutas

> **Tiempo de preparación** 40 minutos + tiempo para refrigerar
> **Tiempo de cocción** 5 minutos

aceite de cártamo en espray
150g de galletas dulces (normales)
    reducidas en grasa
30g de nueces, tostadas
50g de margarina poliinsaturada, fundida
1 1/2 cucharaditas de grenetina en polvo
ralladura y jugo de 1 naranja chica
ralladura y jugo de 1 limón chico
350g de queso ricota reducido en grasa,
    bien escurrido
1/4 taza de azúcar refinada

250g de crema agria reducida en grasa
2 huevos, separados

Compota de frutas
75g de higos secos
75g de ciruelas sin hueso
75g de chabacanos secos
75g de cerezas secas
25ml de vino marsala de buena calidad
80ml de jugo de naranja
ralladura de 1 naranja

NUTRIENTES por porción

Energía	1149kJ
Energía	274cal
Grasa total	15.0g
Grasa saturada	6.4g
Grasa monoinsaturada	5.0g
Grasa poliinsaturada	2.9g
Proteínas	5,56g
Carbohidratos	29.5g
Fibra	3.0g
Sodio	138mg
Colesterol	67mg

1 Rociar un molde de rosca de 20cm con el aceite de cártamo y forrar la base con papel encerado. Procesar las galletas y las nueces en el procesador de alimentos hasta que tengan consistencia de migajas finas. Incorporar la margarina y procesar durante unos segundos. Oprimir firmemente en la base del molde. Refrigerar durante 30 minutos.

2 Disolver la grenetina en 1/4 taza de agua hirviendo. Poner los jugos mezclados (pero no la ralladura) en una cacerola chica y calentar bien. Agregar la grenetina. Quitar la estufa y revolver hasta que se disuelva la grenetina.

3 Batir el queso ricota, el azúcar, la crema agria, las yemas de huevo y las ralladuras con la batidora eléctrica; después, verter poco a poco la mezcla de la grenetina y batir lentamente hasta incorporar.

4 Con un tenedor, batir las claras a punto de turrón, incorporar 2 o 3 cucharadas de las claras de huevo en la mezcla de ricota para aclarar, y después añadir el resto de las claras; tratar de que no se baje la mezcla. Verter sobre la base de galleta, tapar y refrigerar cuando menos durante 3 horas. Rebanar en 10 porciones.

5 Para preparar la compota de frutas: Poner los higos, las ciruelas, los chabacanos y cerezas en un tazón, y agregar el marsala, el jugo de naranja y la ralladura. Dejar macerar en el refrigerador durante toda la noche. Servir el pay con la compota de frutas. **Rinde 10 porciones**

INGREDIENTE PRINCIPAL
El RICOTA es un queso húmedo y delicado hecho con suero de leche. Es un sustituto ideal del queso de crema en los postres cuando se requiere un contenido reducido en grasa, aunque también es delicioso en platillos salados. El ricota reducido en grasa contiene aproximadamente 5% de grasa y tiene menos sal que el queso normal.

Pastel de almendra, naranja y limón

Tiempo de preparación 10 minutos Tiempo de cocción 3 horas

2 naranjas y 4 limones de piel delgada
   (375g de peso en total)
aceite de cártamo en espray
3 huevos
4 claras de huevo

1 ¹/2 tazas de azúcar
1 cucharadita de polvo para hornear
225g de harina de almendra
helado o yogur reducidos en grasa,
   para acompañar

NUTRIENTES por porción

Energía	752kJ
Energía	180cal
Grasa total	14.0g
Grasa saturada	1.3g
Grasa monoinsaturada	8.7g
Grasa poliinsaturada	3.0g
Proteínas	8.3g
Carbohidratos	4.7g
Fibra	3.5g
Sodio	44mg
Colesterol	54mg

1 Lavar las naranjas y los limones. Poner las naranjas en una cacerola grande con agua hirviendo y cocer a fuego lento durante 1 hora. Agregar los limones y seguir cociendo durante 1 hora más, o hasta que las frutas estén muy suaves. Sacar del agua y dejar enfriar. Partir la fruta a la mitad, sacar las semillas y desechar. Poner toda la fruta, con todo y cáscara, en la licuadora o el procesador de alimentos, y licuar hasta que la mezcla esté homogénea.
2 Precalentar el horno a 190°C. Rociar ligeramente un molde de rosca de 22cm con el aceite de cártamo y forrar con papel encerado.
3 Batir los huevos, las claras de huevo, el azúcar y el polvo para hornear hasta que la mezcla esté espesa y pálida, incorporar la harina de almendra y el puré de cítricos.
4 Servir la mezcla en el molde preparado y hornear durante 1 hora, o hasta que un palillo salga limpio al insertarlo en el centro.
5 Dejar enfriar en el molde. Servir acompañado con helado o yogur bajo en grasa.
Rinde 8-10 porciones

Postre de pera y ciruela

Tiempo de preparación 20 minutos Tiempo de cocción 30 minutos

4 peras Kaiser firmes
1 vaina de vainilla, partida a la mitad
   a lo largo
2 cucharadas de jugo de limón
¹/2 taza de azúcar refinada
2 latas de 750g de ciruelas negras,
   escurridas y con el jugo reservado

Postre
¹/3 taza de hojuelas de avena
¹/2 taza de harina blanca
¹/4 taza de almendras fileteadas
¹/3 taza de azúcar morena
50g de margarina poliinsaturada

NUTRIENTES por porción

Energía	2463kJ
Energía	597cal
Grasa total	17.3g
Grasa saturada	2.5g
Grasa monoinsaturada	7.2g
Grasa poliinsaturada	6.3g
Proteínas	6.8g
Carbohidratos	102.8g
Fibra	11.0g
Sodio	112mg
Colesterol	0mg

1 Precalentar el horno a 200°C. Pelar y descorazonar las peras, y cortar una rebanada delgada de cada una de las bases para que puedan pararse bien.
2 Raspar las semillas de la vaina de vainilla con un cuchillo chico. Poner las semillas, la vaina de vainilla, el jugo de limón, el azúcar y 500ml de agua en una cacerola mediana y revolver a fuego lento hasta que se disuelva el azúcar. Dejar que suelte el hervor, bajar la flama para que apenas hierva a fuego lento y agregar las peras. Cocer durante 10 minutos, o hasta que las peras se suavicen. No cocer en exceso porque las peras se parten. Escurrir las peras y reservar 125ml del líquido.
3 Dejar reposar cada pera parada en un molde refractario profundo, de 2 tazas de capacidad. Rodear cada pera con ciruelas. Revolver el jugo de ciruela reservado con el líquido de la cocción de las peras, y bañar cada fruta.
4 Para preparar el postre: Poner las hojuelas de avena, la harina, las almendras y el azúcar en un tazón, y revolver bien. Frotar la margarina con los ingredientes secos sólo hasta que la mezcla adquiera consistencia de migajas.
5 Servir el postre alrededor de cada una de las peras y las ciruelas. Poner los tazones en una charola y hornear durante 20 minutos, o hasta que el postre esté crujiente y dorado. **Rinde 4 porciones**

Budín de plátano al vapor y miel de Maple

Tiempo de preparación 30 minutos **Tiempo de cocción** 1 hora 10 minutos

aceite de cártamo en espray
1/3 taza de miel de maple
20g de margarina de cártamo
1 plátano maduro, a la mitad y en cuartos
250g de dátiles sin hueso, picados
1 anís estrella completo

1 cucharadita de bicarbonato de sodio
1 1/2 tazas de harina con levadura
1/2 taza de azúcar morena
2 huevos, ligeramente batidos
1 cucharada de aceite de girasol

1 Poner un posafuentes (una rejilla pequeña de metal que evita que el molde de bud
toque la base caliente de la cacerola) en el fondo de una cacerola grande. Colocar
un molde de budín de 4 tazas de capacidad en la cacerola y verter suficiente agua
fría hasta cubrir un tercio del molde. Sacar el molde y poner a hervir la medida de
agua, bajar la flama, tapar y dejar hervir a fuego bajo mientras se prepara el budín.
Rociar ligeramente el molde con el aceite de cártamo y forrar la base con un círc
de papel antiadherente.

2 Calentar la miel de maple y la margarina en una cacerola chica hasta que la
margarina se funda, y entonces verter en el molde. Acomodar el plátano, con el la
del corte hacia abajo, en el fondo del molde.

3 Poner los dátiles y el anís estrella en una cacerola chica, añadir 250ml de agua
hirviendo y cocer hasta que se absorba la mayor parte del líquido. Quitar de la
estufa y agregar el bicarbonato de sodio. Reservar y dejar enfriar ligeramente. Sac
el anís estrella.

4 Cernir la harina en un tazón y agregar el azúcar. Hacer un hueco en el centro, aña
la mezcla de dátiles fría y los huevos revueltos con el aceite. Revolver hasta que la
mezcla esté homogénea. Servir la mezcla en el molde preparado.

5 Cortar una hoja de papel encerado y una de aluminio de tamaño suficiente para q
cubra la parte superior y la mitad de los costados del molde. Poner el papel
encerado sobre el aluminio y rociar con aceite de cártamo. Hacer un pliegue en e
centro de los papeles. Poner la tapa, con el papel encerado hacia abajo y el alumin
hacia arriba, sobre el molde y amarrar muy bien con un hilo.

6 Con cuidado, bajar el budín en el agua hirviendo, poner la tapadera en la cacerola
y dejar cocer a fuego lento durante 1 hora, o hasta que un palillo salga limpio al
insertarlo en el centro. Desmoldar en un platón y servir caliente acompañado de
natilla reducida en grasa. **Rinde 8 porciones**

NUTRIENTES por porción

Energía	1369kJ
Energía	327cal
Grasa total	5.0g
Grasa saturada	0.9g
Grasa monoinsaturada	2.4g
Grasa poliinsaturada	1.2g
Proteínas	5.1g
Carbohidratos	67.0g
Fibra	4.4g
Sodio	232mg
Colesterol	46mg

INGREDIENTE PRINCIPAL
Los **PLÁTANOS** son una
estupenda opción de alimento
saludable cuando necesitas
incrementar tu energía.
Nutricionalmente, son altos en
carbohidratos, fibra, vitamina C y
potasio. Contrario a las creencias
populares, no engordan.

Postre con helado

85g de polvo para gelatina de fresa
500g de fresas
1 cucharada de azúcar glas
500g de helado de vainilla o yogur de
   vainilla congelado reducidos en grasa

100g de amaretti (galletas italianas
   de almendra), machacadas
2 cucharadas de miel de maple
50g de pistaches, en trozos grandes

1 Poner el polvo para gelatina y 500ml de agua hirviendo en un refractario y revolve
   hasta que se disuelva. Refrigerar hasta que cuaje y cortar en cubos chicos.
2 Poner 100g de fresas en el procesador de alimentos o en la licuadora con el azúc
   glas, y procesar hasta que la mezcla esté homogénea.
3 Servir capas de fresa, puré de fresa, helado o yogur congelado y las galletas
   machacadas en seis vasos altos de helado. Terminar con un poco de miel de maple
   y espolvorear con los pistaches picados. **Rinde 6 porciones**

NUTRIENTES por porción

Energía	1141kJ
Energía	272cal
Grasa total	4.5g
Grasa saturada	0.6g
Grasa monoinsaturada	2.3g
Grasa poliinsaturada	1.3g
Proteínas	9.0g
Carbohidratos	49.0g
Fibra	2.7g
Sodio	158mg
Colesterol	5mg

TIP

El pan y el budín de mantequilla generalmente son altos en grasas, sobre todo saturadas, porque contienen mantequilla y crema entera. Esta receta es baja en grasa total y saturada, alta en fibra y ¡sabe simplemente deliciosa!

Pan de mango y budín de mantequilla

aceite de cártamo en espray
1-2 mangos grandes, maduros, rebanados
   o 400g de mangos enlatados en jugo
   natural, escurridos
1 hogaza de pan blanco alto en fibra, en
   rebanadas gruesas (16 rebanadas),
   tostado
2 huevos, ligeramente batidos

1/2 cucharadita de canela molida
1/2 taza de azúcar refinada
250ml de leche reducida en grasa
   o leche de soya
1 cucharada de natilla en polvo
helado de vainilla o natilla reducidos
   en grasa, para acompañar

1 Precalentar el horno a 180°C. Rociar ligeramente 4 moldes individuales, con
   capacidad para 1 taza, con aceite de cártamo, y forrar las bases con un círculo de
   papel encerado. Acomodar algunas de las rebanadas de mango de manera decorat
   en la base de cada molde.
2 Quitarle las orillas al pan tostado. Usar un molde como guía y cortar círculos de
   que quepan en los moldes. Colocar en cada molde dos rebanadas de pan, luego u
   capa de mango, y después dos capas de pan, presionando con firmeza entre capa
   y capa.
3 Poner los huevos, la canela, el azúcar, la leche y la natilla en polvo en un bol y
   revolver bien. Poco a poco, verter la mezcla de natilla en cada molde y dejar repo
   durante 10 minutos, o hasta que el pan absorba la natilla.
4 Hornear durante 30-40 minutos, o hasta que cuaje la natilla. Sacar y dejar reposar
   durante 10 minutos antes de desmoldar en platos individuales. Servir con helado
   vainilla reducido en grasa o con natilla reducida en grasa. **Rinde 4 porciones**

NUTRIENTES por porción

Energía	1541kJ
Energía	368cal
Grasa total	6.1g
Grasa saturada	2.6g
Grasa monoinsaturada	1.9g
Grasa poliinsaturada	0.7g
Proteínas	9.7g
Carbohidratos	70.0g
Fibra	3.2g
Sodio	248mg
Colesterol	98mg

Pay de ruibarbo y manzana con natilla de vainilla

1kg de manzanas verdes, peladas,
　descorazonadas
　y en rebanadas delgadas
1 rama de canela
1 taza de azúcar refinada
1kg de ruibarbo, en trozos de 5cm
1 lámina de pasta de hojaldre con
　cártamo, descongelada

3 cucharadas de azúcar granulada

Natilla de vainilla
1 cucharada de natilla en polvo
500ml de leche baja o reducida en gras
1/2 taza de azúcar refinada
1 vaina de vainilla, a la mitad a lo largo

1　Precalentar el horno a 200°C.
2　Poner las manzanas, la rama de canela y la mitad del azúcar en una cacerola. Agreg
　60ml de agua, tapar y cocer a fuego medio durante 10 minutos, o hasta que se
　suavicen las manzanas. Sacar la rama de canela.
3　Poner el ruibarbo en una cacerola limpia, añadir el resto del azúcar y 60ml de agu
　cocer a fuego medio durante 5-10 minutos, o hasta que se suavice el ruibarbo.
　No cocer en exceso o perderá su color y se deshará.
4　Revolver la manzana con el ruibarbo y servir en un molde para pay de 23cm.
　Barnizar los bordes del molde con un poco de agua.
5　Tapar el pay con la pasta hojaldrada, cortar el exceso y presionar los bordes para
　sellar. Hacer unos cortes en la parte superior para que salga el vapor, barnizar la
　pasta con agua y espolvorear con azúcar granulada. Hornear en una charola calien
　durante 20 minutos, o hasta que la pasta esté crujiente y dorada.
6　Para preparar la natilla: Licuar la natilla en polvo con un poco de leche hasta logra
　una pasta homogénea. Pasar a una cacerola, agregar el resto de la leche, el azúcar
　la vaina de vainilla; cocinar, revolviendo constantemente, a fuego medio hasta que
　natilla hierva y espese. Sacar la vaina de vainilla antes de servir. **Rinde 8 porcion**

NUTRIENTES por porción

Energía	1371kJ
Energía	327cal
Grasa total	5.0g
Grasa saturada	2.5g
Grasa monoinsaturada	1.6g
Grasa poliinsaturada	0.3g
Proteínas	5.8g
Carbohidratos	66.0g
Fibra	6.7g
Sodio	138mg
Colesterol	7.33mg

TIP

Un postre dulce es la manera
perfecta de terminar una
comida, y no necesariamente
tiene que ser alto en grasa.
Los postres con fruta son
ideales porque tienden a ser
más bajos en grasa saturada
y más altos en fibra. Así que
deja volar tu imaginación
cuando se trate de postres
con fruta fresca, seca o
enlatada.

INGREDIENTE PRINCIPAL

Las VAINAS DE VAINILLA son el fruto de una
orquídea tropical. Para liberar su exquisito sabor,
basta con que cortes la vaina a la mitad, a lo largo,
raspes las semillas negras y calientes las semillas y la
vaina en leche para hacer la natilla. Hay que sacar
la vaina antes de servir, las pequeñas semillas negras
se comen.

Fruta tibia con especias

Tiempo de preparación 10 minutos + tiempo para enfriar
Tiempo de cocción 10 minutos

NUTRIENTES por porción

Energía	1370kJ
Energía	327cal
Grasa total	0.5g
Grasa saturada	0g
Grasa monoinsaturada	0g
Grasa poliinsaturada	0g
Proteínas	4.2g
Carbohidratos	52.0g
Fibra	6.7g
Sodio	65mg
Colesterol	0mg

200g de piña fresca, picada
250g de fresas, en mitades
1 mango, pelado y rebanado
2 ciruelas, en rebanadas
2 duraznos, en rebanadas
200g de uvas verdes y negras, enjuagadas
560g de lichis de lata, escurridos
　y la miel reservada

350ml de Sauternes u otro vino de pos
1 rama de canela
1 vaina de vainilla, a la mitad a lo largo
1 tallo de limoncillo, a la mitad
2 anises estrella enteros
helado reducido en grasa, para acompa

1 Revolver con cuidado toda la fruta preparada.
2 Poner la fruta en vasos o en platos individuales. Tapar con plástico adherente mientras se prepara la miel
3 Poner el jugo de los lichis que se reservó, el vino, la rama de canela, la vaina de vainilla, el limoncillo y el anís estrella en una cacerola, y dejar que suelte el hervor. Bajar la flama y cocinar a fuego lento durante 10 minutos. Quitar de la estufa y de enfriar.
4 Bañar la fruta con la miel fría y dejar reposar durante 15 minutos. Sacar la rama de canela, la vaina de vainilla, el limoncillo y el anís antes de servir. Acompañar con helado reducido en grasa. **Rinde 4 porciones**

TIP

Si comes fuera de casa y tiene que decidir entre un postre o un pastel, elige un panqué, un pastel de fruta, un muffin, un hot-cake o un bísquet, ya que generalmente se preparan con menos grasa. ¡Pero cuidado con los rellenos o las coberturas grasosas!

Clafoutis de cereza

Tiempo de preparación 20 minutos Tiempo de cocción 30 minutos

NUTRIENTES por porción

Energía	1393kJ
Energía	333cal
Grasa total	6.2g
Grasa saturada	1.5g
Grasa monoinsaturada	3.1g
Grasa poliinsaturada	1.0g
Proteínas	8.6g
Carbohidratos	62.0g
Fibra	4.7g
Sodio	67mg
Colesterol	94mg

aceite de cártamo en espray
1/2 taza de harina blanca
1/3 taza de azúcar refinada
2 huevos
1 clara de huevo
250ml de leche reducida en grasa

1 cucharadita de extracto de vainilla
500g de cerezas sin hueso, escurridas
2 cucharadas de azúcar glas
yogur o helado reducido en grasa,
　para acompañar

1 Precalentar el horno a 170°C. Rociar ligeramente cuatro platos de cerámica (17cm de alto x 3cm de profundidad) con el aceite de cártamo.
2 Poner la harina, el azúcar, los huevos, la clara de huevo, la leche y la vainilla en el procesador de alimentos o en la licuadora, y procesar durante 1 minuto. Dividir la mezcla en los cuatro platos.
3 Acomodar las cerezas sobre la mezcla y hornear el clafoutis durante 25-30 minut o hasta que las partes superiores se doren y el relleno cuaje apenas.
4 Espolvorear con azúcar glas y servir inmediatamente. **Rinde 4 porciones**

Glosario

Ácido fólico (folato) es una vitamina B encontrada de manera natural en casi todos los alimentos vegetales, sobre todo en las verduras de hoja verde y otras (espinaca, col de Bruselas, brócoli, espárrago, poro, coliflor y col); frutas (naranjas, plátanos y fresas); panes integrales, cereales y legumbres (chícharos, frijoles secos y lentejas); nueces y extracto de levadura. También puede agregarse a algunos productos como panes y cereales.

Angina es un dolor o malestar de pecho pasajero, consecuencia de un reducido abastecimiento de sangre al músculo del corazón. La angina se presenta porque una parte del corazón temporalmente no recibió suficiente sangre y oxígeno para satisfacer sus requerimientos a causa del estrechamiento anormal de una arteria del corazón.

Antioxidantes son sustancias que deshacen o combaten a los radicales libres (ver más adelante). Muchos ejemplos de antioxidantes son la vitamina C, la vitamina E, el licopeno, los carotenoides y el selenio. Las frutas y las verduras son particularmente ricas en antioxidantes.

Calcio es un mineral presente en grandes cantidades en los productos lácteos, como la leche, el queso y el yogur. También se encuentra en las bebidas de soya fortificadas con calcio, el salmón enlatado con espinas, los ostiones, las almendras, las semillas de ajonjolí y la tahini.

Caloría (cal) es un término para designar la cantidad de energía que se libera cuando un alimento se quema para brindarle combustible al cuerpo. El término métrico para la caloría es kilojoule (kJ). Una caloría equivale a 4.2 kilojoules.

Carbohidratos se encuentran principalmente en los productos vegetales como cereales, verduras, frutas y legumbres. Los carbohidratos se digieren y se absorben a diferentes velocidades. Se recomiendan los alimentos que se digieren más despacio.

Caroteno es una sustancia que se encuentra en algunos alimentos y se convierte en vitamina A en el cuerpo. Existen tres tipos: alfa, beta y gama caroteno. El betacaroteno tiene el mayor nivel de actividad de vitamina A. Entre los alimentos más ricos en betacaroteno se encuentran las naranjas y las frutas y verduras amarillas como la zanahoria, la calabaza, los mangos, las mandarinas, la papaya, los melones, los chabacanos y los duraznos amarillos.

Colesterol puede ser de dos tipos:
a) Colesterol en sangre es una sustancia grasa normalmente producida por el cuerpo y transportada por la sangre. Existen dos clases: el colesterol LDL (colesterol malo) y el HDL (el colesterol bueno). Los altos niveles de colesterol LDL y bajos niveles de HDL en la sangre son factores de riesgo para una enfermedad cardiaca y la aterosclerosis.
b) Colesterol dietético se encuentra sólo en alimentos animales (tripas, carne grasosa, pollo, huevos, leche, queso, etc.). Mucho colesterol dietético eleva el colesterol en sangre, pero es la grasa saturada de los alimentos (ver más adelante) la que tiene un efecto más poderoso en la elevación del colesterol en sangre.

Embolia sucede cuando una arteria (vaso sanguíneo) que abastece de sangre a una parte del cerebro se bloquea o se revienta. Como consecuencia, e parte del cerebro se daña porc queda privada del abastecimier de sangre vital.

Energía es la cantidad de kilojoules o calorías ingeridas o utilizadas. Un alimento alto en energía es una alimento alto en calorías/kilojoules.

Enfermedad cardiovascular es principal causa de mortalidad e muchos países. Abarca corazón, embolia y vasos sanguíneos.

Fibra dietética se encuentra só en los alimentos vegetales. Es la parte de los alimentos que no se digieren en el estómago y el intestino delgado. Gran parte d la fibra consumida es digerida p bacterias del intestino grueso. Existen dos tipos de fibra:
a) Fibra soluble que ayuda a reducir los niveles de colestero en la sangre, eliminando el colesterol del tracto intestinal. Las principales fuentes de fibra soluble son las frutas frescas y secas, las verduras, la avena, las legumbres y el psyllium.
b) Fibra insoluble que actúa como suavizante y ayuda a evita el estreñimiento. Se encuentra en el pan, los cereales, la fruta, las verduras, las legumbres, las semillas y las nueces.

Fitoestrógenos son químicos vegetales que tienen una estructura similar a la de la hormona humana del estrógen Los fotoestrógenos actúan como estrógenos débiles y se encuentran en una gran varied de alimentos, como las bebidas de soya, el yogur de soya, la harina de soya, la soya, las nuece de soya tostadas, las lentejas, el tofu, el miso, la proteína vegetal texturizada (PVT), los garbanzo las habas y la linaza.

[fó]sforo es un mineral que se [en]cuentra comúnmente en la [pa]sta, las hojuelas de avena, [la l]eche, el yogur, el queso, los [hu]evos, el pollo, la res, el pescado, [los] mariscos, el cordero, el [cer]do, los frijoles secos, las [len]tejas, las nueces y algunos [ve]getales.

[Gr]asa monoinsaturada es un tipo [de] grasa que reduce el colesterol [tot]al y el LDL (colesterol malo) [cu]ando se come en lugar de la [gra]sa saturada. Las fuentes son [ma]rgarinas monoinsaturadas; [ac]eites de oliva, cártamo y [ca]cahuate; aguacate; nueces [y s]emillas.

[Gr]asa poliinsaturada es un tipo [de] grasa que reduce el colesterol [tot]al, el LDL (colesterol malo) [y l]os triglicéridos cuando se [con]sume en lugar de grasa [sat]urada. Las fuentes son [ma]rgarinas poliinsaturadas, aceites [de] maíz, girasol, soya y alazor; [pe]scados muy grasos, mariscos, [nu]eces y semillas.

[Gr]asa saturada es un tipo de [gra]sa que eleva los niveles de [col]esterol total y LDL (colesterol [ma]lo). Entre las fuentes están [pr]oductos lácteos enteros, crema, [qu]eso, copha, manteca, ghee, [pa]sta de hojaldre, pasteles, panes, [car]ne grasosa, mucha comida [rá]pida y comida para llevar.

[Gr]asas omega 3 (o ácidos grasos [om]ega 3) se dividen en dos [ti]pos:
[•] EPA (ácido eicosapentanoico) y [D]HA (ácido docosahexaenoico) [so]n grasas poliinsaturadas [om]ega 3 que se encuentran [pri]ncipalmente en pescados [gra]sos como el salmón, las [sar]dinas, la caballa y el atún.
[•]ALA (ácido alfalinolénico) [es] un tipo diferente de grasa [po]liinsaturada omega 3. Los [ac]eites de cártamo y soya, las

semillas de linaza y las nueces son altos en ALA.

Grasas trans (o ácidos grasos trans) son un tipo de grasa que se encuentra en algunos alimentos. Actúan como grasa saturada, aumentando el colesterol total y el LDL (colesterol malo). Las grasas trans tienen el efecto secundario negativo de reducir el HDL (colesterol bueno). Entre las fuentes está la grasa de la carne, productos lácteos (incluida la mantequilla) y algunas margarinas y aceites hidrogenados.

Hidrogenación es un proceso químico que vuelve a los aceites líquidos más saturados y sólidos. Este proceso no sólo aumenta la cantidad de grasa saturada en el aceite, también produce grasas trans. Las grasas hidrogenadas son comúnmente usadas por los fabricantes de alimentos, como en la producción de pan, pasta de hojaldre, refrigerios y comida de preparación rápida.

Hierro es un mineral presente en los alimentos de dos formas:
a) Hierro hémico, se encuentra en la carne roja, pollo y mariscos. El cuerpo absorbe mucho mejor el hierro hémico, que el no hémico.
b) Hierro no hémico, se encuentra en cereales, frutas, verduras y legumbres. La absorción del hierro que se encuentra en estos alimentos se aumenta agregando un alimento rico en vitamina C a la comida, como jugo de naranja fresco, o añadiendo un alimento rico en hierro hémico, como carne de cerdo magra o cordero sin grasa.

Hipertensión es otra palabra para designar la presión arterial alta. La presión arterial alta es el factor de riesgo principal para las enfermedades cardiacas.

Infarto es típicamente provocado por un coágulo de sangre que de repente bloquea una arteria coronaria, cortando el suministro de sangre al músculo del corazón. Esto puede provocar daños al músculo del corazón.

Kilojoule (kJ) es un término métrico técnico para designar la cantidad de energía producida cuando un alimento se quema en el cuerpo (ver caloría).

Legumbre es el término que abarca a los frijoles secos, los chícharos y las lentejas. Entre los ejemplos se encuentran las habas, los garbanzos, los chícharos y los frijoles.

Magnesio es un mineral que se encuentra en el salvado de trigo, la avena, el pan integral, la leche, la carne, el pescado, los mariscos, las legumbres, algunas frutas y verduras, y las nueces.

Niacina es una vitamina B que se encuentra en el atún en lata, el pescado, el pollo, el conejo, el pavo, la res, el cerdo, la carne de caza, el hígado, los riñones, los cacahuates, la mantequilla de cacahuate, los productos integrales y el extracto de levadura.

Potasio es un mineral que se encuentra en muchas frutas y verduras frescas y secas, garbanzos, frijoles, res, pescado, pollo, cordero, leche, cereales y granos.

Presión arterial es la presión de la sangre en las arterias que el corazón bombea a todo el cuerpo. La presión arterial alta puede provocar ataques al corazón, embolias, insuficiencia cardiaca o problemas renales.

Proteína es un componente principal de los alimentos. Las proteínas están conformadas

por unidades más pequeñas llamadas aminoácidos. Existen 23 aminoácidos, ocho de los cuales se conocen como "aminoácidos esenciales", lo que significa que no los produce el cuerpo y tienen que adquirirse de los alimentos.

Proteína de soya es la proteína que se encuentra en la soya y en los productos de soya. Incluir proteína de soya en la dieta baja en grasa saturada y colesterol reduce el riesgo de sufrir enfermedades coronarias.

Radicales libres son partículas inestables producidas en las células del cuerpo como parte normal del metabolismo, y por exposición a la luz solar, rayos X y contaminantes, como el humo del tabaco, las exhalaciones de los autos y el ozono. Los radicales libres dañan las células del cuerpo de diferente manera, así que no son deseables en grandes cantidades.

Riboflavina es una vitamina B que se encuentra en el hígado, los riñones, los productos lácteos, el pescado la carne, las almendras, los huevos, el brócoli, los chícharos, los frijoles secos, el extracto de levadura, los cereales fortificados y algunos otros alimentos.

Tiamina es una vitamina B que se encuentra en los productos integrales (pasta integral, arroz integral, hojuelas de avena, trigo molido o entero, pan integral), cereales fortificados, cerdo, nueces, extracto de levadura y algunos otros alimentos.

Triglicéridos son un tipo de grasa que se transporta en la sangre. Demasiados triglicéridos en la sangre aumentan el riesgo de una enfermedad cardiaca.

Vitamina B6 es una vitamina que se encuentra en el pescado, las lentejas, los frijoles, el cerdo, las aves, la res, el cordero, las nueces, los plátanos, el aguacate y una variedad de frutas y verduras.

Vitamina B12 es una vitamina B que se encuentra principalmente en los alimentos animales, particularmente en el hígado y los riñones. También se encuentra en el conejo, el pato, el cerdo, la res, el cordero, el pavo, el pollo, los ostiones y el pescado.

Vitamina C (ácido ascórbico) es una vitamina soluble en agua y un antioxidante que se encuentra en la fruta fresca (sobre todo en los cítricos, el kiwi, la guayaba, la papaya y las fresas) y las verduras (sobre todo pimiento, col de Bruselas, brócoli y coliflor)

Vitamina E es una vitamina soluble en grasa y un antioxidante que se encuentran principalmente en aceites de germen de trigo, girasol, alazor, cártamo, maíz, soya y oliva así como en nueces y semillas. También se encuentra en algunos mariscos.

Zinc es un mineral que se encuentra en los ostiones, los mariscos, los frijoles secos, las nueces, la avena, el salvado, el arroz, el pan integral, la res, el hígado, el cerdo y el pollo.

Sobre nuestras recetas y las tablas de nutrientes por porción

Cada receta ha sido cuidadosamente analizada para verificar que cumpla con el estándar de la sana alimentación y con especificaciones relacionadas con la grasa (sobre todo del tipo de grasa), sodio y fibra. Te brindamos los detalles nutricionales de cada receta en una tabla de "nutrientes por porción". La información nutricional que se especifica está basada en la porción recomendada por receta, que se encuentra al final del procedimiento de preparación de cada una. Aunque las porciones se refieren a un grupo de porciones (4-6, por ejemplo), los detalles del análisis nutricional se basan en el número más alto de porciones, 6 en este caso. Cuando se menciona un número grande de porciones (12 muffins, por ejemplo), el análisis se basa en una sola porción, en este caso 1 muffin. La energía por porción se expresa en kilojoules (kJ) y calorías (cal); el resto de los nutrientes está en gramos (g) o miligramos (mg). Los acompañamientos y guarniciones, a los que se hace referencia como sugerencia para acompañar al final de algunas recetas, no están incluidos en el análisis nutricional. Los tiempos de preparación y de cocción se basan en tiempos estimados que usaría una persona que sabe cocinar, pero que no es experta.
Los tiempos pueden variar según la experiencia personal.

Tabla de conversión de medidas imperial/métrica

Taza métrica y tamaño de las cucharas

as medidas que se usan en este libro orresponden a una taza métrica y a las ucharadas estándares. El grupo de tazas métricas básico es: 1 taza, 1/2 taza, 1/3 taza 1/4 taza. El grupo de cucharadas básicas es: cucharada, 1/2 cucharada y 1/4 cucharada. Nota: los huevos pesan 48-50g cada uno.

Taza

| 1/4 taza = 60ml |
| 1/3 taza = 80ml |
| 1/2 taza = 125ml |
| 1 taza = 250ml |

Cucharada

| 1/4 cucharadita = 1.25ml |
| 1/2 cucharadita = 2.5ml |
| 1 cucharadita = 5ml |
| 1 cucharadita = 20ml |

Líquidos

Imperial	Métrico	Métrico
1 fl oz	-	30ml
2 fl oz	1/4 taza	60ml
3 fl oz	-	100ml
4 fl oz	1/2 taza	125ml
5 fl oz	-	150ml
6 fl oz	3/4 taza	200ml
8 fl oz	1 taza	250ml
10 fl oz	1 1/4 tazas	300ml
12 fl oz	1 1/2 tazas	375ml
14 fl oz	1 3/4 tazas	425ml
15 fl oz	-	475ml
16 fl oz	2 tazas	500ml
20 fl oz (1 pinta)	2 1/2 tazas	600ml

Masa (peso)

Conversiones aproximadas para propósitos de cocina

Imperial	Métrica	Imperial	Métrica
1/2oz	15g	10oz	300g
1oz	30g	11oz	345g
2oz	60g	12oz (3/4lb)	375g
3oz	90g	13oz	410g
4oz (1/4lb)	125g	14oz	440g
5oz	155g	15oz	470g
6oz	185g	16oz (1lb)	500g (0.5kg)
7oz	220g	24oz (1 1/2lb)	750g
8oz (1/2lb)	250g	32oz (2lb)	1000g (1kg)
9oz	280g	3lb	1500g (1.5kg)

Temperaturas del horno

Horno	Celsius	Fahrenheit
Muy ligero	120	250
Ligero	140-150	275-300
Moderadamente ligero	160	325
Moderado	180	350
Moderadamente caliente	190	375
Caliente	200-230	400-450
Muy caliente	250-260	475-500

Nota: Prender el ventilador del horno aproximadamente 20°C debajo de la temperatura establecida.

Índice